Manual Práctico Del
SCHNAUZER
MINIATURA

Orígenes - Estándar - Cuidados
Alimentación - Acicalado - Salud
Adiestramiento - Concursos

Anton Janish

EDITORIAL HISPANO EUROPEA S. A.

ÍNDICE

Título de la edición original: **Guide To Owning a Miniature Schnauzer.**

© de la traducción: **Susana Fornell.**

Es propiedad, 2005
© **T. F. H. Publications, Inc.** Neptune City. N. J. (EE. UU.)

© de la edición en castellano:
Editorial Hispano Europea, S. A.
Primer de Maig, 21 - Pol. Ind. Gran Via Sud
08908 L'Hospitalet - Barcelona, España.
E-mail: hispanoeuropea@hispanoeuropea.com

Depósito Legal: B. 43143-2005.

ISBN: 84-255-1173-9.

Sexta edición

Consulte nuestra web:
www.hispanoeuropea.com

IMPRESO EN ESPAÑA   PRINTED IN SPAIN
LIMPERGRAF, S. L. - Mogoda, 29-31 (Pol. Ind. Can Salvatella) - 08210 Barberà del Vallès.

¿POR QUÉ UN SCHNAUZER MINIATURA?

Aquellos que estén interesados en un perro robusto, enérgico, amigable y pequeño, con la habilidad de proteger y cuidar a su amo, no necesitarán buscar más cuando conozcan al Schnauzer Miniatura. Es un gran perro de pequeña estatura, muy capaz de proteger con gran agilidad cuando es necesario. Pero es su gran disposición, junto con su inteligencia, lo que le hace ser tan querido por los aficionados a los perros, situándolo en los puestos más altos de la cumbre de popularidad canina.

Sus primos, más grandes y veteranos (el Schnauzer Gigante y el Standard), a pesar de ser menos populares, son animales impresionantes. Se desarrollaron a partir del «Beaver Dog» (perro castor) de la Edad Media y son conocidos por su habilidad para el pastoreo, para la caza y como perros guardianes. Fue, probablemente, del cruce de estos dos con Affenpinschers, que evolucionó la variedad Miniatura durante el siglo XX. Hoy en día, aun conservando las características de sus ancestros, se ha consolidado más como animal de compañia y exhibición.

Tiene la ventaja sobre sus progenitores más grandes de que, gracias a su tamaño, resulta más barato en cuanto a sus cuidados y ocupa tan poco espacio que parece ser el perro

Le esperan muchos años de felicidad como nuevo propietario de un Schnauzer Miniatura.

ideal para habitar en una ciudad. Su pelaje es rizado, resistente a los enredos, fácil de cuidar y no muda, lo que hace las delicias de los propietarios meticulosos. Su pelaje elegante y su andar alegre atraen la atención donde quiera que vaya e incluso la gente que no esté familiarizada con la raza, reconocerá el valor de su pedigree y se interesará por sus orígenes. Aunque en jerga alemana la palabra *schnauzer* significa «discutidor o peleón», el nombre de nuestro perro proviene de la palabra alemana *schnauzbart*, que significa «hocico barbudo».

Clasificado como Terrier en los Estados Unidos, el Schnauzer Miniatura no es considerado de este modo en Alemania o Inglaterra, aunque posee todas las habilidades para la caza de esos pequeños y fuertes luchadores. No puede haber compañero canino más fuerte y robusto que el Schnauzer Miniatura, el cual puede desenvolverse adecuadamente en los pequeños apartamentos de hoy en día. Su natural actitud de alerta combinada con un fino sentido del oído, hacen que sea un excelente perro vigilante. Aunque no sea ruidoso o ladre, el Schnauzer tampoco se mostrará reservado ante la visita de extraños. Nadie entra en casa sin ser adecuadamente anunciado. Recibe alegremente a los amigos y advierte a los extraños de forma apropiada.

¿Hay gente joven en la casa?. El amigable Schnauzer cuidará del bebé, jugará a muñecas con las niñas o armará jaleo con los niños. Se pavoneará perfectamente acicalado con la señora o se paseará con el padre. Realizará todo esto con admirable aplomo y autocontrol, cambiando de un papel a otro con facilidad y comportándose perfectamente en todos ellos.

DESCRIPCIÓN Y CARÁCTER

El Schnauzer Miniatura, «perro pequeño con gran personalidad», es

Ni personas ni perros pueden resistirse a un tarro lleno de dulces. Los Schnauzer Miniatura son muy rápidos a la hora de aprender las normas de la casa; no obstante, algunas cosas deben dejarse fuera de su alcance.

El Schnauzer Miniatura puede distinguirse fácilmente de otros perros por sus marcados bigotes y su barba, combinado con su color sal y pimienta.

un perro pequeño en tamaño pero no es, de ningún modo, un perro faldero o delicado.

Mucha gente se sorprende al llevarse por primera vez a un Schnauzer Miniatura y descubrir lo fuerte, robusto y musculoso que es. Se compone de la robustez y potencia de un caballo de tiro combinado con la elegancia y belleza de un pura raza. La audacia, la capacidad de alerta y de adaptabilidad a cualquier circunstancia o ambiente son algunas de sus características principales.

Sus ojos de tamaño medio, oscuros y expresivos, la trufa negra y las orejas móviles y en alerta, contribuyen a realzar su encanto y su apariencia de extrema inteligencia.

Sus abundantes bigotes y la barba, combinado con su color sal y pi-

mienta, le diferencia de otros perros.

Su color puede variar de entre un bonito gris plateado a un sal y pimienta, hasta el gris y negro puro. El pelo del Schnauzer tiene un patrón agutí, cada pelo tiene todas las tonalidades del gris, desde casi blanco hasta el negro en los extremos. Esto es lo que constituye el color sal y pimienta. Muchos perros tienen pelos de un solo color. El pelaje del bigote, barba y de las extremidades puede ser oscuro o claro, dependiendo de las tonalidades de gris. El color plateado, casi blanco, los bigotes y el abundante pelo en las extremidades, junto con un pelaje gris oscuro en el cuerpo, es probablemente lo más atractivo. El color es, quizá, su rasgo más distinguido.

Los Schnauzer Miniatura se adaptarán rápidamente a otros animales domésticos que pueda haber en la casa, como los gatos.

El Schnauzer Miniatura es un perro familiar y un muy buen perro vigilante. Es extremadamente obediente y rápido en aprender. Fuera de casa no permitirá que un extraño le toque, pero cuando la misma persona entre en la casa y sea aprobada por la familia, él la aceptará sin problemas. Es un perro leal, juguetón, afectuoso y, si puede, nunca perderá de vista a la familia. Aprende rápidamente cuándo lo necesita y cuándo debe quedarse tranquilo en su cama o silla. Se comporta de igual modo tanto en un apartamento en la ciudad, como en un hotel, finca o granja. Puede conformarse con una pequeña dosis de ejercicio, pero es incansable cuando sale de excursión el fin de semana o va de acampada. Le encanta nadar e incluso es conocido por sus baños junto a los niños. Le gusta mucho andar, seguir a bicicletas o caballos o viajar en coche. Raramente se marea en el coche, aprende rápidamente cuál es su sitio y permanece tranquilo, sin ir de un lado para otro y no intenta salir por las ventanas. Si se queda solo en el coche, permanecerá alerta y ladrará sólo si algún extraño se acerca demasiado. Es raro que destroce algo del coche, y se sienta con su trufa negra siempre alerta pegada contra el cristal, esperando a que regrese su amo.

Si le es permitido, le gusta acompañar a su amo al acostarse, ya sea durmiendo tranquilamente sobre la cama o en la suya propia. Si su amo está enfermo, su devoción es incansable y sólo abandonará su lado cuando sea absolutamente necesario, regresando tan rápido como sea posible a seguir velándolo.

El Schnauzer Miniatura se adapta fácilmente a otros animales como: gatos, conejos domésticos, pájaros y todos los animales de granja. Naturalmente, si no se le instruye adecuadamente desde el principio en su comportamiento hacia ellos, puede matarlos como hace con los roedores. Es un buen cazador de ratas y ratones y escarbará todo el día persiguiendo a marmotas. Nunca pierde la cabeza ni pelea a ciegas, pero tiene la suficiente discreción como para saber cuándo necesita ayuda frente a un enemigo demasiado grande y poderoso para él solo. Es valiente e intrépido, pero no es un luchador agresivo, de manera que diez o más Miniaturas pueden correr juntos.

El Schnauzer Miniatura puede ser instruido para avisar a su amo sordo si suena el timbre de la puerta o el teléfono, distinguiendo ambos sonidos y dirigiéndose hacia el timbre que está sonando. Se desenvuelve excepcionalmente bien como actor y ha aparecido en escena en varias obras.

Como fiel amigo, su Schnauzer Miniatura aprenderá a diferenciar rápidamente el tiempo de juego y el de descanso, y también aprenderá a actuar de acuerdo con nuestros cambios de humor.

ESTÁNDAR DE LA RAZA

El estándar de la raza es el criterio por el cual la apariencia (y por extensión también el temperamento) de un perro determinado se somete a una valoración objetiva. Básicamente, el estándar de cualquier raza es la definición del perro perfecto con quien se comparan todos los especímenes de la raza. Los estándares de la raza están siempre sujetos a cambios a través de revisiones realizadas por el club nacional de raza de cada perro, de manera que es prudente continuar con el desarrollo de la raza consultando las publicaciones de su club nacional. A continuación se describe el estándar del Schnauzer Miniatura.

Aspecto general. El Schanuzer Miniatura es un perro activo y robusto, y guarda gran parecido con su primo, el Schanuzer Standard, tanto en su aspecto general como en su comportamiento siempre activo y alerta.

Faltas. Tipo enano, demasiado grande o basto.

Tamaño, proporción, complexión. Tamaño. De 30 a 35 cm. Su constitución es robusta, casi cuadrada en proporción entre la longitud del cuerpo y la altura, con mucho hueso y sin presentar signos de enanismo. **Descalificaciones.** Perros o perras de menos de 30 cm o por encima de los 35 cm.

Cabeza. Ojos. Pequeños, marrón oscuro y de inserción profunda. Tienen apariencia oval y son muy expresivos. **Faltas.** Ojos claros y/o grandes y de aspecto prominente. **Orejas.** Una vez cortadas, tienen la misma forma y longitud, acabando de forma puntiaguda. Están en proporción con el resto de la cabeza y su longitud no es muy exagerada. Su inserción en el cráneo es alta y se lle-

La silueta de la izquierda es la correcta para un Schnauzer Miniatura. La de la derecha es incorrecta: las extremidades posteriores se han desarrollado demasiado, lo cual es un defecto común.

Tres tipos de cabeza de Schnauzer: demasiado redondeada y ancha a nivel del cráneo y muy corta a nivel de la frente (izquierda); cabeza correcta y buena inserción de las orejas (centro); inserción demasiado baja de las orejas y ojos demasiado claros (derecha).

van perpendiculares a los bordes internos, formando la menor campana posible en relación a los bordes externos. Cuando no están cortadas, las orejas son pequeñas, en forma de V y se pliegan cerca del cráneo. La *cabeza,* fuerte y rectangular, disminuye suavemente su anchura desde las orejas hasta los ojos, y de nuevo hasta la punta de la trufa. La frente no presenta arrugas. La parte superior del cráneo es plana y bastante larga. La frente es paralela a la parte superior del cráneo, presenta un suave stop, y es al menos tan larga como esta última. El *hocico* es grande en proporción al cráneo, acaba de forma moderadamente despuntada, con gruesos bigotes que acentúan la forma rectángular de la cabeza. *Faltas.* Cabeza basta y sobresaliente. Los *dientes* configuran una mordida de tijera. Lo que significa que los dientes superiores se superponen a los dientes inferiores, de manera que la superficie interna de los incisivos superiores apenas toca la superficie externa de los incisivos inferiores cuando la boca está cerrada. *Faltas.* Mordida retrasada o avanzada. Mordida nivelada.

Cuello, línea superior, cuerpo. El *cuello* es fuerte y bien arqueado, armonizándose con los hombros y con la piel tirante a nivel de la garganta. El *cuerpo* es corto y profundo, con el pecho extendiéndose al menos hasta los codos. Las costillas son profundas y están bien arqueadas, llegando hasta el corto flanco. La parte inferior no presenta la piel arrugada en el flanco. La *línea del dorso* es recta, inclinándose ligeramente desde la cruz hasta la base de la cola. La cruz constituye el punto más alto del cuerpo. La longitud total desde el pecho hasta la grupa es mas o menos la misma que la altura a la cruz. *Faltas.* Pecho demasiado ancho o poco profundo. Dorso hundido o curvado.

Cola. De inserción alta y se lleva erecta. Se corta hasta la longitud suficiente como para que sea claramente visible sobre la línea dorsal del cuerpo cuando el perro lleva el pelaje de una longitud adecuada. *Falta:* Inserción demasiado baja de la cola.

Extremidades anteriores. Son rectas y paralelas vistas desde todos los lados. Poseen fuertes metacarpos

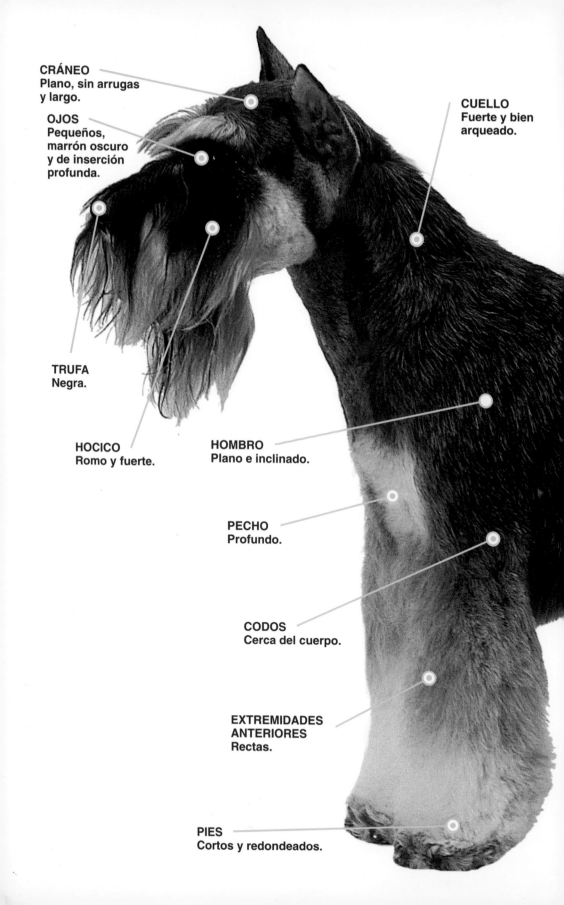

CRÁNEO
Plano, sin arrugas
y largo.

OJOS
Pequeños,
marrón oscuro
y de inserción
profunda.

CUELLO
Fuerte y bien
arqueado.

TRUFA
Negra.

HOCICO
Romo y fuerte.

HOMBRO
Plano e inclinado.

PECHO
Profundo.

CODOS
Cerca del cuerpo.

**EXTREMIDADES
ANTERIORES**
Rectas.

PIES
Cortos y redondeados.

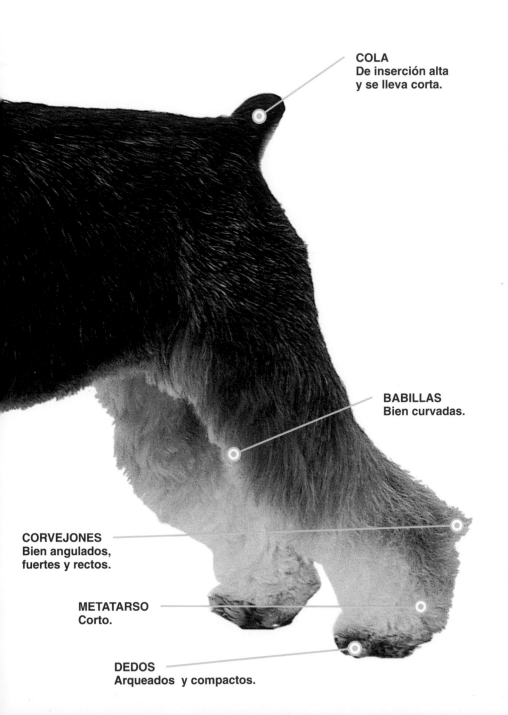

Best of Breed del Westminster Kennel Club, 1995: Ch. Das Feder's Drivin Miss Daisy, propiedad de Larry y Georgina Drivon.

COLA
De inserción alta
y se lleva corta.

BABILLAS
Bien curvadas.

CORVEJONES
Bien angulados,
fuertes y rectos.

METATARSO
Corto.

DEDOS
Arqueados y compactos.

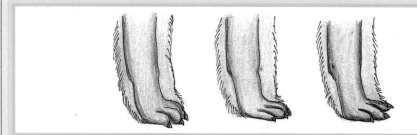

Izquierda: **Pies correctamente redondeados, con los dedos bien arqueados.** *Centro:* **Dedos planos delgados.** *Derecha:* **Dedos separados, con débiles metacarpos.**

y potentes huesos. Están separadas por un pecho moderadamente profundo que impide que la parte frontal permanezca apretada. Los codos se encuentran próximos y las costillas se extienden gradualmente desde la primera, lo que proporciona a los codos el espacio suficiente para moverse cerca del cuerpo. *Falta:* Codos muy abiertos. Los **hombros** son inclinados, musculosos, planos y bien proporcionados. Se sitúan bien hacia atrás, de manera que, visto lateralmente, los extremos de las escápulas forman una línea casi vertical con el codo, situado a nivel inferior. Las puntas de las escápulas están muy juntas. Se inclinan hacia adelante y hacia abajo, en una angulación que permite la máxima extensión hacia adelante de las extremidades anteriores sin tensiones ni esfuerzos. Las escápulas y brazos son largos, permitiendo la profundidad del pecho en su parte inferior. Los **pies** son cortos y redondos (tipo gato), con almohadillas gruesas y negras. Los dedos son compactos y tienen forma arqueada.

Extremidades posteriores. Las extremidades posteriores poseen muslos inclinados, fuertes y musculosos. Se curvan bien a nivel de la babilla. Existe la angulación suficiente como para que el corvejón se sitúe más allá de la cola. Las extremidades posteriores nunca deben parecer más grandes o robustas que los hombros. Los metatarsos son

cortos y perpendiculares al suelo y, vistos desde atras, son paralelos entre sí. *Falta:* Corvejón en forma de hoz, corvejón de vaca, extremidades posteriores arqueadas.

Pelaje. Doble, con un espeso y duro manto externo y un tupido subpelo. El pelaje de la cabeza, cuello, orejas, pecho, cola y cuerpo debe ser recortado. En un show, el pelaje corporal debe tener la suficiente longitud como para determinar la textura. Debe cubrir de forma tupida el cuello, las orejas y el cráneo. El pelaje es bastante espeso, pero no es sedoso. *Falta:* Pelaje demasiado suave o liso en apariencia.

Color. Los colores reconocidos son: sal y pimienta, negro y plata y negro sólido. Todos los colores poseen pigmentación uniforme de la piel, sin manchas blancas o rosas en ninguna parte del perro.

Sal y pimienta. El típico color sal y pimienta de la capa externa es el resultado de la combinación de pelos con bandas blancas y negras, y pelos de color blanco y negro sólido, predominando los de bandas. Son aceptables todas las tonalidades de sal y pimienta, desde las mezclas más claras a las más oscuras, con tonos canela permitidos tanto en los pelos con bandas y sin bandas. En los perros de esta variedad, la mezcla sal y pimienta desaparece gradualmente para convertirse en gris claro o blanco plateado a nivel de las

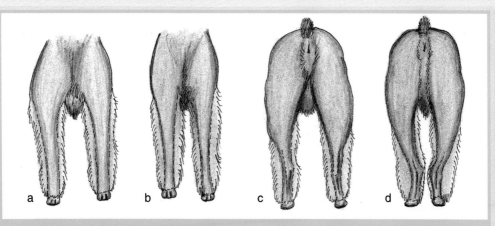

(a) Forma correcta, con los codos hacia adentro y las extremidades rectas. (b) El pecho y la parte frontal son demasiado estrechos. (c) Extremidades posteriores y corvejones correctos. (d) Extremidades posteriores incorrectas, corvejones en forma de vaca.

cejas, bigotes, mejillas, bajo la garganta, en el interior de las orejas, a lo largo del pecho, bajo la cola, revistiendo las extremidades y en la parte interna de las extremidades posteriores. Puede desaparecer o no a nivel del subpelo. No obstante, si ocurriera, el pelo más claro del subpelo no va a crecer más alto a los lados del cuerpo que a nivel de los codos.

Negro y plata. El negro y plata sigue, generalmente, el mismo patrón que el sal y pimienta. Toda la sección sal y pimienta debe ser negra en este caso. El color negro del pelaje externo de la variedad negro y plata es magnífico y verdadero y, el subpelo es negro.

Negro. El negro es el único color sólido que está permitido. De manera ideal, el color negro de la capa externa debe ser intenso y brillante, y el subpelo será menos intenso (un tono más suave dentro de la gama del negro). Esto es normal y no debe ser penalizado de ningún modo. Las áreas sometidas al trimming tienen tonalidades más claras de negro. Está permitida la presencia de una pequeña mancha blanca en el pecho, así como la aparición de un pelo blanco en cualquier parte del cuerpo.

Descalificaciones. Presencia de un color blanco sólido, bandas o manchas blancas en las áreas coloreadas del perro, excepto en la variedad negra donde se permite una pequeña mancha blanca en el pecho.

El color de la capa en los perros sal y pimienta y negro y plata se decolora progresivamente hasta un gris claro o blanco plateado bajo la garganta y a lo largo del pecho. Entre ellos existe un color natural de la capa. Cualquier marca irregular o blanca en esta sección se considerará una mancha blanca en el cuerpo, lo cual es también una descalificación.

Marcha. El trote es la marcha cuyo movimiento es sometido a juicio. Cuando se aproxima, las extremidades anteriores, cuyos codos se mantienen cerca del cuerpo, se mueven rectas hacia adelante, ni muy juntas ni muy separadas la una de la otra. Cuando se aleja, las extremidades posteriores permanecen rectas y se mueven en los mismos planos que las anteriores.

Nota. En general, se acepta que, una vez alcanzado el trote máximo, las extremidades posteriores se mantienen en los mismos niveles que las anteriores, pero tiene lugar una pequeña inclinación hacia dentro. Empieza a nivel del hombro (en la parte delantera) y a nivel de la articulación de la cadera (en la parte posterior).

Vistas desde delante y desde detrás, las extremidades permanecen rectas desde estos puntos hasta las almohadillas. El grado de inclinación hacia dentro es casi imperceptible en un Schnauzer Miniatura que presente un movimiento incorrecto. Este movimiento no justifica el mover las extremidades muy juntas, inclinar los pies hacia dentro, cruzarlos o sacar los codos hacia fuera.

Visto lateralmente, las extremidades anteriores se extienden bien, mientras que las posteriores empujan con potencia mostrando una buena recuperación a nivel del corvejón. Los pies no se tuercen ni hacia dentro ni hacia fuera. *Faltas.* Trote sencillo, marcha de lado, movimiento de chapoteo o movimiento tipo caballo de silla. Débil potencia trasera.

Temperamento. El típico Schnauzer Miniatura es un perro enérgico y siempre alerta, que obedece a las órdenes. Es amigable, inteligente y tiene buena voluntad para complacer. No debe ser excesivamente agresivo o tímido.

DESCALIFICACIONES

Perros o perras de menos de 30 cm o por encima de los 35 cm. Color blanco sólido, o manchas o bandas blancas en las áreas coloreadas del perro. El color del pelaje en los perros de las variedades sal y pimienta, y negro y plata se decolora gradualmente hasta un gris claro o blanco plateado bajo la garganta y a lo largo del pecho. Entre ellos existe un color natural de la capa. Cualquier marca irregular o blanca de conexión en esta sección se considerará una mancha blanca en el cuerpo, lo cual es también una descalificación.

Un perro válido debe tener un esqueleto bien proporcionado. (a) Ésta es la estructura correcta del hombro que se requiere para una buena angulación frontal. (b) El hombro que se muestra aquí es demasiado recto y empinado. (c) Angulación correcta de las extremidades posteriores. (d) Angulación incorrecta, las babillas son demasiado rectas.

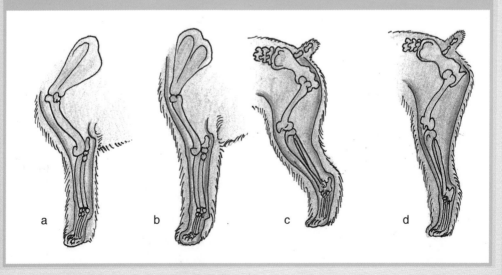

a   b   c   d

Magnífica imagen de la cabeza del Best of Breed del Westminster Kennel Club en 1995: Ch. Das Feder's Drivin Miss Daisy, propiedad de Larry y Georgina Drivon.

HISTORIA DEL SCHNAUZER MINIATURA

A pesar de la evolución del Schnauzer Miniatura a partir de un gran número de razas, su tamaño, forma y apariencia es perfecta, lo cual es una buena indicación de que sus cuidadores sabían lo que se hacían. La raza puede atestiguar una considerable antigüedad: la acuarela de Durero de 1492, «Madonna con

El Schnauzer Miniatura es originario de Alemania. La traducción aproximada de «schnauzer» es «bigotudo», y el Schnauzer Miniatura posee un bigote maravilloso.

animales», muestra un espécimen típico. Rembrandt representó a la raza en al menos uno de sus trabajos en el siglo XVII y, en Stuttgart, una estatua que data del 1620 titulada «Vigilante nocturno y su perro», muestra un bonito y típico Schnauzer.

Nadie está muy seguro de cómo se desarrolló la variedad Miniatura. Muchos afirman que procede de seleccionar los especímenes más pequeños del Standard y criar sólo a partir de la descendencia más pequeña. Sin embargo, es probable que los Affenpinscher se llevaran al lugar y fueran utilizados para cruzarse con los Schnauzer pequeños. En cualquier caso, el hecho de que la raza pequeña fuera determinada, conservada, desarrollada y finalmente consolidada en tamaño y tipo para constituir la raza inmaculada que es hoy en día, dice mucho de la habilidad y devoción que poseían los más antiguos criadores. Desde que se estableció la variedad más pequeña, ésta se ha hecho un hueco en la cumbre de la popularidad canina. Es popular como perro de exposición y de primera clase como perro de compañía y de trabajo.

PRIMEROS REGISTROS Y DESARROLLO

El primer registro conocido de la raza fue el número 281, una perra negra nacida en octubre de 1888 llamada Findel y propiedad de Herr Max Hartenstein, de los famosos criaderos Plavia. Aun siendo de raza desconocida,

Un cesto lleno de cachorros Affenpinscher. El Affenpinscher y el Schnauzer Standard fueron, probablemente, los dos perros que se cruzaron para originar el Schnauzer Miniatura. El parecido es claramente visible.

fue registrada como Schnauzer Miniatura, mientras que anteriormente a esto, los registros se hacían bajo otras denominaciones para la raza, como Pinschers Miniatura y Pinschers Miniatura de pelo duro, siendo este último el *Zwergschnauzer* original, que hoy en día conocemos como Schnauzer Miniatura. Aparte de Findel, se registraron otras siete perras en este periodo: dos negras, tres amarillas, una negra y canela y una sal y pimienta. Cuatro fueron presentadas como de raza desconocida y el resto como de raza indeterminada, aunque sus nombres estaban especificados. El origen de estos primeros Schnauzers engloba claramente a los Pinschers de pelo duro, a los Schnauzer Standard y a los Pinschers Miniatura. El momento en el que el Affenpinscher apareció en escena es incierto. De lo que podemos estar seguros es de que esta veterana raza no es muy diferente del Schnauzer Miniatura corriente en estilo, marcha y silueta. Algunos afirman que el Affenpinscher es un progenitor del Griffon de Bruselas, que también es una antigua raza. El color negro del pelaje del Griffon podría haberse heredado del Schnauzer Miniatura, ya que el negro sólido no era particularmente común en el Pinscher Miniatura, al cual algunos le atribuyen ser el progenitor del Schnauzer Miniatura, probablemente sin razón. Algunos atribuyen el co-

Muchas razas diferentes han influido en el Schnauzer Miniatura. Como todas las razas pequeñas de perros, su desarrollo implica una gran suposición. Cualquiera que sea el verdadero origen, el Schnauzer Miniatura es un gran perro en un pequeño formato.

El color negro del Schnauzer Miniatura se remonta al Pomerania o al Griffon de Bruselas.

lor negro a una influencia del Pomerania negro sobre la raza, pero, excepto por un efecto confirmado sobre la influencia de esta raza en el Schnauzer Miniatura en el área de Heilbroon en Alemania, donde los negros eran criados con mucha popularidad, no existe otra evidencia de la influencia del Spitz. Sin embargo, está demostrado que las razas grandes de Spitz se usaban en el desarrollo del Schnauzer Standard, así que, si esto es cierto, parece lógico pensar que la variedad enana fuera usada para desarrollar un tipo de Schnauzer Miniatura. Al menos un criador demostró que un cachorro tipo Pomerania dio lugar a una camada de Schnauzer Miniatura.

Como en todas las razas pequeñas de perros, su desarrollo conlleva un gran número de suposiciones que afectan a la raza. Incluso razas como el Fox Terrier, el Scottish Terrier y quién sabe cuántas más, han sido nombradas como contribuyentes. Cabe la posibilidad de que existieran influencias ocasionales de otras razas, pero podemos estar bastante seguros de que, si fue así, su influencia fue dispersa y de pocas consecuencias. Parece cierto que la principal influencia sobre el Schnauzer Miniatura corrió a cargo del Affenpinscher, un perro pequeño y atractivo cuya raza contribuyó a crear el estilo, el tipo, el temperamento, la firmeza, la deportividad y el carácter del Schnauzer Miniatura que admiramos hoy en día.

LA RAZA EN AMÉRICA

A pesar de que los primeros documentos demuestran que dos Schnauzers Miniatura fueron llevados a Estados Unidos en 1923 importados por Mr. W. Goff, de Concord, procedentes de Herr R. Krappatsch, este par no contribuyó mucho en el desarrollo de la raza, ya que el perro murió sin descendencia y la perra, pro-

Ch. Cockerel of Sharvogue, de los criaderos Marienhof, uno de los tres hermanos que fueron muy famosos en el mundo del Schnauzer Miniatura de los años treinta. Propiedad de Marie Slattery, Cockerel fue padre de cinco campeones americanos y dos canadienses.

cedente de los criaderos de Goldbachhöhe, produjo sólo dos camadas.

Los criaderos de Mrs. Marie E. Slattery (entonces Mrs. Marie E. Lewis) empezaron de forma seria la cría del Schnauzer Miniatura al importar cuatro ejemplares del mismo Herr Krappatsch. Esto ocurrió en 1924 y, al año siguiente, la primera camada de la raza en América corrió a cargo de Mrs. Slattery, cuyos criaderos Marienhof crearon algunos magníficos campeones de Schnauzer Miniatura. Durante el mismo tiempo en que Mrs. Slattery importó su stock inicial, se trajeron algunos perros más y se cree que se produjeron cerca de 150 importaciones durante la década siguiente. Muchos fueron registrados en el American Kennel Club y bastantes se hicieron criar. Sólo se usaron los mejores. Hoy en día, el stock ganador del campeonato del Schnauzer Miniatura americano se remonta a, aproximadamente, una docena de perros y el mismo nú-

Kismet of Marienhof, de los criaderos de Marie Slattery en los años treinta, padre de dos hijas campeonas en América.

Hubo un tiempo en que el Schnauzer Standard (mostrado aquí) y el Miniatura fueron exhibidos juntos. Si las dos clases no se hubieran separado, las dos variedades se habrían mezclado, en detrimento de ambas.

Su influencia combinada sobre la raza es excelente. Las hermanas lo hicieron mejor que el desafortunado Mack, que murió tras ser el padre de varias camadas.

El primer Schnauzer Miniatura que fue registrado en el American Kennel Club fue el de Mr. Monson Morris: Borste von Bischhofsleben, pero desgraciadamente, esta perra no dejó descendencia campeona, para hacer honor a los criaderos Woodway. Durante los primeros años, muchos Schnauzers (incluso los Standard) eran conocidos como Pinschers de pelo duro y fueron relegados a las clases del Grupo de Trabajo. Un club, el Wire-Haired Pinscher Club of America, estaba a disposición de los entusiastas, pero en 1926 la raza fue conocida por su nombre corriente: Schnauzer. Los Standard y los Miniatura se exhibieron juntos hasta 1927 cuando, en el show combinado del Club del Terrier, se establecieron clases diferentes para los dos tamaños.

Más tarde, en 1933, los entusiastas del Miniatura fundaron un club de forma exitosa, mientras que la organización siguió con el Standard Schnauzer Club of America, especializado en la variedad grande. Esta medida impuso un cambio en el American Kennel Club, el cual quería contemplar a los dos tamaños de Schnauzers sin distinciones, puramente como una sola raza. Si se hubiera tomado esto último como norma, hubiese significado que las dos variedades se habrían relacionado, lo que conduciría al detrimento de ambas, una situación que no pretendían los pioneros de la raza, que habían trabajado mucho para separar los dos tamaños.

mero de perras a partir de esas importaciones originales.

Probablemente, el Schnauzer Miniatura más importante, por lo que concierne a América, es uno que nunca puso los pies en aquel país. Éste fue Fels von den Goldbachhöhe, cuyo hijo Mack von den Goldbachhöhe, y dos hijas: Lady y Lotte von den Goldbachhöhe, aparte de Amsel von den Goldbachhöhe, aparecieron en los pedigrees durante mucho tiempo.

SU NUEVO CACHORRO

Cuando vaya a escoger un cachorro de Schnauzer como animal de compañía, no se precipite; cuanto más estudie a los cachorros, mejor los entenderá. Tómese como algo primordial el hecho de seleccionar a uno que irradie buena salud, energía y vivacidad, cuyos ojos brillen y con el pelaje brillante, que venga hacia usted impaciente para conocerle. No se decante por un cachorrito tímido que permanece en su cama o en su caja, o que juega tímidamente tras otros cachorros o tras la gente, o esconde la cabeza bajo su brazo o bajo su chaqueta, apelando a su instinto protector. *Escoja al Schnauzer Miniatura que directamente le escoja a usted. El sentimiento de atracción debe ser mutuo.*

DOCUMENTOS

Ahora es necesario un poco de papeleo. Cuando compre un cachorro de Schnauzer Miniatura de pura raza, debe recibir una transferencia que indique el cambio de propietario, material sobre el registro y otros papeles: una lista de las vacunaciones, en el caso de que haya recibido alguna; una nota que especifique si el cachorro ha sido o no desparasitado y una pauta de alimentación a la que el cachorro esté acostumbrado. Entonces será bienvenido como nuevo miembro de una agradable asociación junto con su adorable animal de compañía y junto con más papeleo.

PREPARACIÓN GENERAL

Ha escogido ser el propietario de un cachorro de Schnauzer Miniatura. Lo ha escogido cuidadosamente de entre todas las demás razas y de entre todos los demás cachorros.

Antes de llevar a su nuevo cachorro a casa, cada cosa debe estar a punto para su llegada. Su cama debe estar lista y todos los accesorios comprados para que su llegada sea lo menos traumática posible.

Antes de llevar a este cachorro de Schnauzer Miniatura a casa, debe prepararse para su llegada leyendo todo lo que caiga en sus manos referente al manejo del Schnauzer Miniatura y de los cachorros. Ciertamente, se encontrará con muchas opiniones contradictorias, pero al menos no empezará «a ciegas». Lea, estudie y asimile la información. Hable sobre sus planes con su veterinario, con otros propietarios de Schnauzer Miniatura y con el vendedor de su cachorro. Cuando tenga a su cachorro de Schnauzer Miniatura, se dará cuenta de que sus lecturas y estudios no han hecho más que empezar. Sólo ha escarbado la superficie en su plan para proporcionar la mayor comodidad y salud posibles a su Schnauzer Miniatura y, al mismo tiempo, asegurarse el poder disfrutar al máximo de esta maravillosa criatura. Debe estar preparado para las necesidades físicas y mentales del cachorro.

TRANSPORTE

Si lleva al cachorro a casa en coche, debe protegerlo de las corrientes de aire, particularmente si el tiempo es frío. Envuelto en una toalla y llevado en brazos o sobre las rodillas de un pasajero, el cachorro de Schnauzer Miniatura realizará el viaje sin ningún contratiempo. Si el cachorro empieza a babear y a estar violento, detenga el coche durante algunos minutos. Tenga siempre a mano pa-

El papel de periódico a tiras es a menudo usado como sustrato mientras los cachorros están con la madre. Puede incluir algunos papeles de este tipo en la cama de su cachorro cuando lo lleve a casa.

El transportín beneficiará a su perro de muchas formas. En primer lugar, actuará como refugio y proporcionará seguridad, y en segundo lugar, es de gran ayuda a nivel doméstico.

peles de periódico por si se marea. Si conduce solo, una caja de cartón recubierta de papel de periódico proporcionará la protección necesaria tanto para el coche como para el cachorro. Evite la excitación y el manoseo del cachorro al llegar a casa. Un cachorro de Schnauzer Miniatura es un pequeño «paquete» que se está sometiendo a un cambio completo de entorno y compañía, y que necesita reposo frecuente y poder refrescarse para renovar su vitalidad.

EL PRIMER DÍA Y LA PRIMERA NOCHE

Cuando su cachorro de Schnauzer Miniatura llegue a casa, déjelo en el suelo y no lo vuelva a coger excepto si es absolutamente necesario. Se trata de un perro, un perro de verdad, y no debe ser transportado

Escoja a un cachorro de Schnauzer Miniatura que irradie buena salud, un pelaje lustroso y ojos brillantes.

como si fuera una muñeca de trapo. Sosténgalo lo menos posible y no permita que nadie lo coja y lo trate como a un bebé. En resumen: *ponga al cachorro en el suelo y déjelo ahí excepto cuando sea necesario hacer otra cosa.*

Muy probablemente, su cachorro de Schnauzer Miniatura sentirá unos instantes de miedo en su nuevo entorno, lejos de su madre y de sus compañeros de camada. Reconfórtelo y tranquilícelo, pero no lo consuele. No le dé el típico tratamiento de compadecerse de él. Sea calmado, amigable y tranquilizador. Anímelo a explorar y a olfatear su nuevo hogar. Si está oscuro, encienda las luces. Déjelo vagar durante algunos minutos mientras usted se sienta tranquilamente o realiza sus tareas rutinarias. Deje que el cachorro venga a usted.

Los compañeros de juegos pueden causar un problema inmediato si el nuevo cachorro de Schnauzer Miniatura es recibido por niños u otros animales. Si no es así, puede olvidarse del tema. La afinidad natural entre niños y cachorros debe supervisarse hasta que se establece una relación de «vive y deja vivir». Esto es aplicable particularmente si el cachorro llega en Navidad, cuando hay más excitación de la habitual y más oportunidades de trastornar al cachorro. Es mejor traer al cachorro algunos días antes o después de la semana de vacaciones. Al igual que un niño, su cachorro de Schnauzer Miniatura necesita mucho reposo y no debe ser muy manoseado. Una vez el niño descubre que el cachorro tiene «sentimientos» similares a los suyos y puede ser herido fácilmente, las oportunidades de juego y las responsabilidades pro-

Como ayuda doméstica, tome un trozo de papel sobre el cual haya orinado su cachorro y sitúelo en el sitio donde quiere que vaya siempre. Su cachorro buscará ese sitio debido al olor que desprende y volverá a él cada vez.

noche. Proporciónele un cazo con agua, no mucha, ya que muchos cachorros tratarán de beberla toda de golpe. Déjele un abrigo viejo o un jersey para que se tumbe encima, él lo preferirá ya que las prendas desprenden olor humano, fomentando así su sentimiento de seguridad en la habitación donde ha sido alimentado.

AYUDAS DOMÉSTICAS

Ahora, tarde o temprano (más bien temprano), su nuevo cachorro de Schnauzer Miniatura empezará a «ensuciar» el suelo. En primer lugar, coja un papel de periódico y deposítelo en el sitio donde ha ensuciado hasta que la orina impregne el papel. Guarde ese papel. Luego limpie el suelo con un paño, agua y jabón y séquelo bien. A continuación, coloque el papel húmedo sobre un cuadro formado por más papeles de periódico situado en un rincón apropiado. Cada vez que lo limpie, deje siempre un trozo de papel húmedo sobre los demás. Cada vez que quiera hacer pipí, buscará esta mancha y usará los papeles. Esta rutina raramente es necesaria durante más de tres días. Ahora deberá dejar a su cachorro de Schnauzer Miniatura solo durante la noche. Muy probablemente, llorará y aullará un poco, algunos son más pertinaces que otros en este tema. Pero debe dejarlo solo durante la noche. Este tratamiento puede parecer duro, pero es el mejor procedimiento a largo plazo. Simplemente deje que llore, tarde o temprano se cansará de ello.

porcionan un buen entrenamiento y ejercicio para ambos.

Durante su primera noche con usted, el cachorro debe colocarse en el sitio donde dormirá habitualmente, por ejemplo en la cocina, ya que su suelo puede limpiarse con facilidad. Permita que explore la cocina hasta quedarse satisfecho, cierre la puerta y déjelo dentro.

Prepare su comida y aliméntelo de forma no muy pesada la primera

ACICALADO DEL SCHNAUZER MINIATURA

Ésta no ha de ser necesariamente una ardua tarea, especialmente si mantiene a su perro en buenas condiciones musculares y mantiene la calidad de su pelaje mediante una alimentación adecuada. Tampoco se necesitan una gran cantidad de instrumentos, pero los que se escogen deben seleccionarse cuidadosamente.

El perro no deberá, bajo ningún concepto, acudir a disgusto a las sesiones de cepillado y acicalado. Debe ser siempre un periodo en el cual aprenda a conocer a su perro y él le conozca a usted, un tiempo para desarrollar confianza y afecto mutuo.

INSTRUMENTOS PARA EL ACICALADO

Es mejor para el cachorro utilizar un suave cepillo de cerdas. Más adelante necesitará un cepillo de cerdas metálicas para quitarle el pelo. Pero no debe usarse hasta que el pelaje sea más largo. También se necesita un peine de acero. Eliminará más cantidad de pelo muerto o suelto que puede ser arrancado al girar los dedos.

Cepillar a su Schnauzer Miniatura una vez al día, es esencial para la apariencia de su pelaje.

El corte del pelo puede ser una experiencia traumática para su Schnauzer
Miniatura. Es una buena idea el acos-
tumbrar a su perro desde cachorro
de manera que esté familiarizado con
el corte cuando sea adulto.

CUIDADO DIARIO

Cepillar una vez al día es esencial. Si lo hace de forma regular, la tarea sólo llevará unos cuantos minutos. Póngase cómodo cuando realice el acicalado. Coloque al perro en una mesa o siéntelo a su lado en el suelo. Asegúrese de darle la vuelta para cepillar sus partes bajas, pero tenga cuidado de no arañar su delicada piel. Primero, cepille en el sentido del pelo para limpiar el pelaje más superficial. Luego a contrapelo para limpiar el subpelo y masajear la piel. Finalmente, cepille el pelo y déjelo en su posición original. Use el peine metálico en las cejas y bigotes, y también si encontrara algún nudo. Cuando peine el nudo para deshacerlo, sujete el mechón por la base y peine hacia fuera con la parte final del peine; *no apriete contra la piel*. Durante el cepillado diario, el pelaje del Schnauzer y las orejas deberían revisarse por si hay parásitos.

EL BAÑO

No es recomendable bañar a un perro muy a menudo: el baño elimina los aceites naturales de la piel, lo que provoca que el pelaje no sea brillante. Si su Schnauzer es cepillado y acicalado diariamente, sólo necesitará un baño de vez en cuando. Obviamente, si está muy sucio o ha encontrado alguna sustancia nociva en sus viajes, este trabajo deberá realizarse sin excusa.

El mejor momento es por la mañana. De este modo seguro que recibirá la dosis de sol necesaria para ayudar a que se seque. Sin embargo, si también le da de comer por la mañana, deje un par de horas de descanso antes de bañarlo para que haga sus necesidades antes de que

Cuando bañe a su Schnauzer Miniatura, tenga cuidado de que no le entre agua en el interior de los oídos. Coloque bolas de algodón en los oídos antes de empezar el baño con el fin de evitar estos contratiempos.

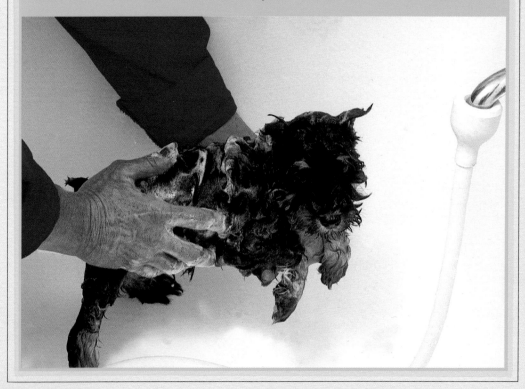

Cuando están bien peinados, los bigotes y la barba de su Schnauzer Miniatura son características distinguidas.

empiece la sesión. Asegúrese de tener a mano todo lo que necesita, especialmente si realiza usted solo la tarea, ya que a la mayoría de los Schnauzer no les gustan los baños e intentarán salir de la bañera si se encuentran solos.

El agua debe estar tibia, pero no caliente. Así la temperatura interna del perro (38 a 39 °C) será más o menos la correcta. Es una buena idea el colocar una estera de goma en el suelo de la bañera o de la pica para evitar que el perro resbale. Tenga a mano al menos dos toallas de gran tamaño (las de playa irían bien), ya que al acabar habrá una gran cantidad de agua que secar.

A menos que sea un caluroso día de verano, evite bañar al perro en el exterior de la casa. Incluso bajo las mejores condiciones podría enfriar-

Seque a conciencia a su perro o cachorro después del baño para evitar que se resfríe y pueda enfermar.

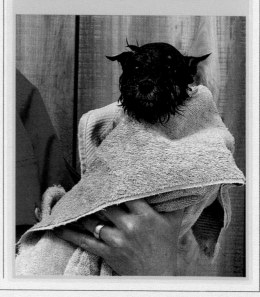

se. Después del baño, manténgalo en una habitación cálida hasta que esté totalmente seco. Es prudente posponer el baño hasta que se den las condiciones adecuadas. Si se hace en un día húmedo o en una casa fría, puede resultar desastroso.

Existe un número incalculable de jabones y champúes para perros en el mercado. Un champú medicinal es probablemente la mejor alternativa. Hay también algunos que son buenos para los problemas de parásitos, si es que su perro los padece. No es una buena idea usar detergentes para la casa o jabón para la colada, ya que son demasiado fuertes e inapropiados para el pelaje del perro. Imagine que está lavando a un niño en lugar de a un coche.

Un mando portátil de ducha puede ser de gran utilidad. Si no se tiene a mano, use un pulverizador. En este caso, debe tener ya preparados dos recipientes para aclarar con agua tibia antes de empezar.

Tape los oídos del perro con un algodón y coloque un poco de vaselina en los párpados para evitar que entre jabón en los ojos.

Moje al perro y aplique bien el champú sobre su pelaje, hasta llegar a la piel. Ahí es donde se encuentra la suciedad. Empiece por la cola y vaya hacia adelante. Deje la cabeza para lo último y cuando la limpie, no utilice jabón o champú. Límpiela frotando con un paño húmedo sin jabón. Enjuague bien y repita de nuevo. Algunos propietarios incluso lo repiten hasta tres veces.

Al sacar al perro de la bañera después del aclarado final, tenga preparada una gran toalla de baño para colocársela alrededor, de lo contrario, puede que acabe usted duchado cuando él realice una tremenda sacudida. Si se encuentra en un sitio donde no importa que se dé una pequeña ducha, protéjase con la toalla y deje que el perro se sacuda enérgicamente. Luego, séquelo con la toalla tanto como sea posible, llegando hasta la piel, no secando sólo la humedad de la superficie. Se puede usar un secador como paso final, ya que es importante secar al perro lo más rápido posible. Los secadores de mano son muy útiles, pero los que son fijos van todavía mejor ya que

Un mando portátil de ducha es muy útil a la hora de bañar a su perro.

dejan las dos manos libres para poder cepillar el pelo del animal al mismo tiempo. Sea especialmente cuidadoso con los pies, asegúrese de que no queda humedad entre los dedos o bajo la cola. Esto también puede aplicarse a las orejas, vigile que no haya penetrado el agua al interior del oído.

Es raro que a un Schnauzer le guste el baño, así que es aconsejable asegurarse de hacerle todo el procedimiento tan agradable como sea posible. Hable con el perro y tranquilícelo durante todo el proceso. El primer baño es particularmente importante. Sin embargo, un cachorro no debe bañarse hasta que tenga, al

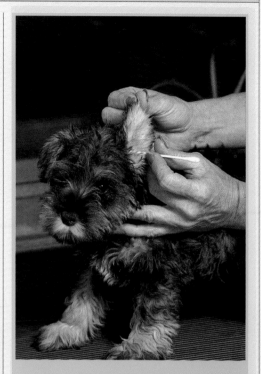

Limpie la parte exterior del oído de su Schnauzer con un palito de algodón impregnado de peróxido o alcohol.

Los lazos de unión con su perro son muy importantes. Las sesiones de acicalado pueden usarse como oportunidades adicionales para fomentar esa unión.

menos, seis meses de vida. Hasta entonces, debe limpiarse con un champú seco para perros que puede encontrarse en el mercado, siguiendo las instrucciones del envase. Esto también puede aplicarse a los perros más mayores cuando el tiempo es inapropiado o las condiciones del baño no se pueden llevar a la práctica.

CUIDADO DE LOS OJOS

Los ojos captan muy a menudo partículas extrañas, como semillas y polen, cuando el perro se pasea entre hierba alta o sobre superficie de tierra. Esto puede resultar irritante, por lo tanto, después de esta aventura, los ojos deben limpiarse con un limpiador especial para perros o, si no tenemos ninguno a mano, con agua tibia. Algunos propietarios recomiendan una solución suave de ácido bórico (al 2 %), pero no se debe utilizar, ya que muchos perros han sufrido lesiones en sus ojos provocadas por el ácido bórico.

Son sospechosos los ojos con legañas y llorosos, y se debe consultar con el veterinario. Puede deberse a un entropión, un defecto hereditario donde los párpados se vuelven hacia dentro, o un ectropión, donde los párpados se vuelven hacia fuera. No obstante, una simple conjuntivitis (ojos inflamados y llorosos) puede tratarse normalmente en casa. Existen algunos productos de confianza en el mercado para combatirla. Algunas veces resulta útil la aplicación de aceite estéril de hígado de bacalao en el párpado superior e in-

ferior. La mucosidad de los lagrimales puede limpiarse con un palito de algodón impregnado con agua tibia.

CUIDADO DE LOS OÍDOS

Es aconsejable el examen diario de los oídos. Nunca lave los oídos del perro con agua y jabón, incluso si se trata de la parte más externa. Si el agua llega hasta el interior del oído, es casi imposible de sacar y puede acarrear todo tipo de problemas. La mejor manera de limpiar los oídos es con un palito de algodón impregnado de peróxido, alcohol o aceite de oliva. Nunca profundice en el oído más allá de donde pueda ver. Si parece más sensible de lo normal o desprende mal olor, es aconsejable consultar con su veterinario. Hay varios limpiadores de oídos disponibles en el mercado. Pregunte en su tienda de animales favorita para que le recomienden uno.

Tenga cuidado con las llagas en el oído, ya que es una infección muy común en los Schnauzers.

CORTE DE LAS UÑAS

Las garras del Schnauzer deben ser «tipo gato». Esto significa que las uñas deben ser siempre tan cortas como sea posible. Si el perro no puede mantenerlas cortas mediante el ejercicio activo sobre pavimentos duros, deberá cortárselas de forma regular. No intente utilizar cortaúñas humanos, ya que aplastan el grosor de la uña del perro. Se pueden usar para cortar las puntas de las uñas curvas y afiladas de los cachorros, pero para perros adultos es preferible usar un cortaúñas tipo «guillotina». Ponga especial atención en no cortar la matriz de la uña, un área de carne tierna llena de vasos sanguíneos que la nutren. Si se corta, la herida sangrará de forma profusa, aunque no es peligroso. La hemorragia puede detenerse mediante un lápiz estíptico o alumbre en polvo, o bien presionando el pie lesionado en

El estado de los dientes de su Schnauzer Miniatura debe ser revisado en busca del acúmulo de sarro. Un Nylabone es esencial para ayudar al mantenimiento de los dientes de su Schnauzer.

El cuidado rutinario de las uñas es esencial para la buena salud de su Schnauzer Miniatura. Las uñas de los cachorros son especialmente afiladas y necesitan cuidados más frecuentes.

el interior de un plato de azúcar. Sin embargo, es aconsejable ir con cuidado, ya que el perro tendrá molestias y puede sentirse receloso ante el corte de uñas. Los márgenes rugosos pueden limarse con una lima gruesa o escofina, trabajando desde la base de la uña hacia su extremo.

CUIDADO DE LOS PIES

Al acicalar al perro, es aconsejable revisar las almohadillas de los pies. Éstas pueden estar doloridas, pincharse con astillas o espinas o cortarse con cristales rotos. También pueden quedar bolitas espinosas de plantas entre los dedos. Retire el cuerpo extraño, limpie la herida con un chorro de agua y anime al perro a que se la lama. El alquitrán y la resina pueden eliminarse de las almohadillas y del pelo de los pies mediante acetona. Si no se tiene a mano, puede probarse con un quitaesmalte para uñas.

ACICALADO

Si se deja el pelaje del Schnauzer Miniatura sin cuidar, tomará rápidamente una extraña apariencia que hará parecer al perro como si fuera de otra raza.

Los Schnauzers son acicalados con el fin de mostrar sus mejores características y para revelar su fuerte constitución. Si el pelaje del Schnauzer crece de forma descuidada, se puede echar a perder su belleza. Por ejemplo, demasiado pelo en el cráneo puede darle una apariencia más basta; demasiado pelo en el cuello puede hacerlo parecer más grueso; el pelo acumulado en los sitios equivocados puede estropear la línea.

Por supuesto, hay que tener cuidado de no pasarse con el corte, ya que el perro tampoco tendría la apariencia adecuada. Ésta es la razón por la cual no veo con buenos ojos el acicalar con una afeitadora eléctrica, una práctica muy común hoy en día.

No hay ninguna duda de que el acicalado de un perro es un arte. La habilidad para ello sólo se adquiere con la práctica. El principiante debe, si le es posible, observar a un profesional acicalando a algún Schnauzer o al suyo propio. Con práctica, este don no es muy difícil de aprender. Hay tres maneras de retocar a un Schnauzer. La forma más correcta es a mano. Con este método, el pelaje del perro, que habitualmente es sal y pimienta o con tonos de negro y gris, no cambiará de color ya que no se recorta el pelaje más externo. Simplemente se asea al perro para que aparezca arreglado y alegre.

El segundo método es utilizando lo que se conoce como un cuchillo para retocar. Éste lo utilizan algunas veces los acicaladores profesionales porque es más rápido. Los resultados son similares a los del acicalado a mano, cambiando en cierto grado el color del pelaje, y es un instrumento más fácil de utilizar por el novato.

La tercera manera es con una afeitadora eléctrica para perros. Las diferentes anchuras de las cuchillas de la afeitadora dan el efecto del corte que se necesita, pero como se elimina una gran cantidad de pelo, el cambio de color es a veces sorprendente. Es un método usado frecuentemente en los salones de belleza para Schnauzer domésticos. Tiene la ventaja de que es más rápido, pero no puede utilizarse con los perros de competición.

Los tres métodos son aceptables, pero yo recomiendo el método manual. Aunque es más pesado y lleva más tiempo, lo empleará aquel propietario que quiera mantener a su perro con un aspecto siempre impecable. Y si no es usted quien arregla al perro, debe insistir para que el acicalador profesional utilice el método manual.

EQUIPO PARA EL CORTE

Cuchillo para retocar. Este cuchillo posee una pequeña sierra que tiene espacios de varias anchuras entre sus dientes. Los mejores cuchillos de este tipo son de Inglaterra, Francia y Alemania. Hay una versión más complicada del cuchillo, utilizando una cuchilla de afeitar. Los cuchillos se pueden encontrar en tiendas de animales. El corte a mano también puede llevarse a cabo con el índice y el pulgar, pero sólo lo intentarán los acicaladores más experimentados.

Tiza. Se usa para poder sujetar el pelo de manera firme y poder cogerlo más fácilmente. Cualquier marca de tiza francesa puede servir.

Tijeras. Se necesitan dos pares. Una pequeña, de 10 cm de largo, con las puntas redondeadas que se utiliza para los oídos, donde no deben dejarse pelos dispersos ni dentro ni fuera. Para dar los toques finales y retocar los márgenes se usan un par de tijeras más largas de barbero, de 17 o 20 cm.

Peine. Se recomienda un peine de acero o un peine especial para Terrier, con un margen de dientes finos y el otro con dientes más anchos.

Cepillo. Se utiliza para eliminar el pelo muerto. Debe tener unas púas finas de acero y un soporte de goma para una mayor elasticidad. Proporcionará un brillo y un acabado magníficos.

Un Schnauzer Miniatura bien acicalado es algo digno de verse.
Aquí vemos a uno esperando pacientemente el regreso de su pre-
parador para completar la sesión
de acicalado.

El equipo necesario también incluye una sólida mesa situada bajo una luz potente que elimine tantas sombras como sea posible. La mesa debe cubrirse con un tapete de goma que no resbale.

CORTE A MANO

A diferencia del Caniche, que puede ser acicalado de muchas maneras, sólo hay un estilo correcto para el Schnauzer: de forma pulcra, cuadrada, con aspecto de «caja». La cantidad de pelo a eliminar es opcional, a algunos les gusta largo y a otros corto. No obstante, si el perro es acicalado para ir a un concurso, el pelaje debe dejarse bastante largo, pero con una apariencia ordenada y bien acabada.

Coloque al perro sobre la mesa, mirando hacia adelante. Aplique la tiza sobre el área donde está trabajando. Colóquese a su lado y sujete bien la piel. Empiece por el cuello y trabaje con el cuchillo en sentido opuesto, arrancando el pelo al atraparlo con el pulgar y presionarlo contra el cuchillo, para posteriormente torcerlo y apartarlo del cuerpo. Es una acción similar a la de quitarle las plumas a un pollo. No se entretenga demasiado en una zona, siga rápidamente el contorno del cuello, hombros y cuerpo. Cuanto más rápido elimine el pelo, menos molestias ocasionará al perro. Además, hay menos riesgo de que deje porciones sin pelo.

Siga el contorno del cuello, profundizando algo más a medida que se aproxime a la cruz (hombros) y más a conciencia al llegar a la zona de las costillas. Debe dejarse una suave franja de pelo en la base de las costillas y en el flanco, pero no debe

Los acicaladores profesionales utilizan una mesa sólida en la cual colocan al perro. También es esencial para un corte apropiado el disponer de una luz situada sobre la cabeza que no cause ninguna sombra.

ser muy prominente, debe estrecharse hasta llegar al área entre el flanco y el muslo.

El pelo de la grupa, el flanco y la babilla (articulación de la rodilla) debe ser más corto que el del resto del cuerpo hasta la articulación del corvejón. El pelo de esta última zona (corvejón) debe presentar gran número de flecos. Use las tijeras para retocar los márgenes y la zona de los pies.

La cabeza, que es el punto principal del Schnauzer, debe tener un aspecto natural y atento. Esto se consigue al recortar más a fondo entre las orejas, en las mejillas, encima de los ojos y a ambos lados de la boca, bajo la garganta y hasta el cuello.

Los bigotes deben empezar en la base del extremo exterior del ojo y caer hacia la boca y la nariz. Los bi-

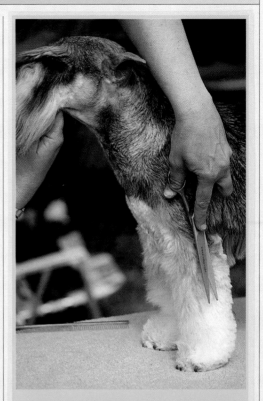

El modo apropiado de esquilar a su Schnauzer Miniatura puede aprenderse a través de un acicalador profesional. Las extremidades de este perro están siendo arregladas siguiendo un movimiento descendente.

La extremidad de un Schnauzer Miniatura es acicalada para parecerse al máximo a una brocha de barbero.

gotes no deben ser retocados justo debajo de los ojos, pero se puede eliminar un poco de pelo de entre los ojos para dar una apariencia curiosa. Esta expresión puede realzarse usando las tijeras largas y cortando, en una posición inclinada, desde el ángulo exterior del ojo hasta el interior (muy suavemente), dando un borde muy fino a las cejas. Puede recortarse ligeramente el borde de los bigotes para darle una apariencia cuadrada. En las orejas se utilizan unas tijeras de punta redondeada para eliminar pelo del interior del oído y para recortar los márgenes.

Las extremidades se dejan con tanto pelo como sea posible, sólo con los márgenes claramente delimitados y los pies redondeados en la base para dar un aspecto más similar a los del gato. La cara interna de las extremidades debe ser poco densa, pero sin llegar muy cerca de la piel. El pecho debe continuarse con el abdomen sin ningún mechón o franja que sobresalga del cuerpo. No debe haber indicios de desniveles ni hombros marcados como en el Caniche, sino que debe haber una continuidad del hombro con el codo. El pelo de la cola se recorta a la misma longitud que el del cuerpo, con el extremo redondeado y sin franjas en la parte de detrás o en la base de la cola.

Cuando termine el corte, peine y cepille al Schnauzer a conciencia para eliminar los pelos sueltos. Asegúrese de que el pelaje está nivelado y de no dejar cuchilladas ni mechones

La primera experiencia de su Schnauzer Miniatura con una maquinilla eléctrica puede ser muy traumática. Háblele calmadamente todo el rato y sea cuidadoso pero firme cuando corte el pelo.

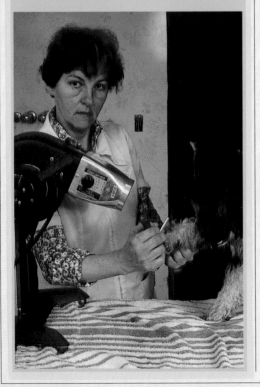

Cuando se seca a fondo al Schnauzer, el pelo de sus extremidades debe ser recortado y peinado de nuevo.

de pelo que sobresalgan. Las tijeras se utilizan para dar los toques finales y proporcionar al perro un aspecto compacto.

LA MAQUINILLA ELÉCTRICA

El tercer método para acicalar al Schnauzer es con una maquinilla eléctrica para pequeños animales, que se vende en tiendas especializadas. Con este instrumento se pueden realizar numerosos cortes. Al Schnauzer se le puede realizar un corte con el pelo muy corto, o de longitud media, o uno que simula de forma ingeniosa un corte a mano. Este método es, sin duda, más rápido que los otros dos. La maquinilla que se utiliza debe ser del tipo en la que se pueden cambiar las cuchillas o cabezales. Las del número

Para que la barba de su Schnauzer Miniatura parezca impecable, debe ser peinada, cepillada y acondicionada y siempre debe mantenerse limpia y sin enredos.

7 o número 5 tienen anchos espacios entre sus dientes, que dejan sobre 1,2 cm de pelo en el cuerpo, dando la apariencia de estar cortado a mano. No cambia mucho el color, pero puede ser un poco más claro, ya que los pelos superficiales se eliminan de forma más drástica que en los otros métodos. El patrón a seguir es el mismo que en el corte manual, así como la forma de cortar. La cuchilla que más se utiliza es del número 10, ya que corta más profundo que las del número 5 o 7, dejando solo 0,6 cm de pelo. Esta cuchilla altera el color, que se vuelve varios tonos más claro.

Las orejas pueden afeitarse con estas cuchillas, pero se debe ir con mucho cuidado ya que las puntas de las orejas son tan estrechas que podrían cortarse mediante el movimiento rápido de las cuchillas. Es mejor usar las tijeras.

La cuchilla del número 15 trabaja hasta tocar casi la piel, se lleva la gran parte del pelo del cuerpo y deja visible la piel. Ésta sí que hace que cambie mucho el color del pelo y se haga más claro, tanto que muchos propietarios no reconocen a su perro en un principio debido al súbito cambio de color. Esta cuchilla (del número 15) no se recomienda. Da al Schnauzer un aspecto completamente extraño.

Cualquiera que sea el método que utilice con su perro, recuerde siempre ser muy paciente pero firme, ya que el Schnauzer es una raza con un carácter nervioso. No es un animal fácil de acicalar como el Caniche, que adora los cuidados que recibe en el salón de belleza.

ALIMENTACIÓN

Ahora hablaremos sobre la alimentación de su Schnauzer Miniatura, un tema tan sencillo que parece sorprendente la cantidad de tonterías y malentendidos que existen en torno a él. ¿Es caro alimentar a un Schnauzer Miniatura? No, no lo es. Puede alimentar a su Schnauzer Miniatura de manera económica y mantenerle en perfecto estado durante todo el año, o puede alimentarlo de forma cara. Él crecerá igual de bien de las dos maneras. Vamos a ver por qué esto es cierto.

En primer lugar, recuerde que su Schnauzer Miniatura es un perro. Los perros no tienen un gran nivel de selección para la comida y, a menos que usted lo estropee dándole gran variedad de alimentos (y convirtiéndole en un perro melindroso), él comerá casi cualquier cosa a la que se acostumbre. Muchos perros se niegan rotundamente a comer arroz, carne fresca... Prefieren comer cualquier otra cosa, pero ¿carne?, ¿por qué? Simplemente, porque no están acostumbrados.

LA VARIEDAD NO ES NECESARIA

Una buena regla general es olvidarse de las preferencias humanas y no dar importancia a la variedad. Escoja una dieta correcta para su Schnauzer Miniatura y aliméntelo con ella día tras día, año tras año, en invierno y en verano. Pero, ¿cuál es la dieta correcta?

Se han invertido cientos de miles de dólares en investigaciones sobre la

No necesita ser un gourmet para alimentar apropiadamente a su Schnauzer Miniatura. Puede alimentarlo de forma económica y mantenerlo en perfecta forma todo el año sin muchos problemas. Estos cachorros esperan pacientemente la hora de la comida.

Hay varias dietas de excelente calidad disponibles en el mercado y elaboradas por compañías de confianza.

nutrición. Los resultados son bastante concluyentes, así que no necesita ir experimentando con productos diferentes cada semana. La investigación ha establecido con exactitud lo que su perro necesita para comer y mantenerse sano.

DIETA CANINA

Hay casi tantas dietas correctas como expertos, pero la dieta básica más recomendada es la que consiste en comida seca. Hay varias de excelente calidad, fabricadas por compañías de confianza, analizadas científicamente y comercializadas a nivel nacional. Son baratas, muy satisfactorias y están disponibles en los comercios en envases desde los 2 a los 20 kg. Normalmente, a más cantidad, disminuye el precio por kilo.

Si debe escoger entre varias marcas, es más seguro escoger la que más conozca, pero aun así, lea atentamente el análisis del envase. No escoja un alimento donde el nivel de proteína sea inferior al 25 % y asegúrese de que esta proteína proceda tanto de fuente animal como vegetal. Las dietas buenas para perros contienen harina de carne, harina de pescado, hígado y similares, además de proteínas procedentes de la alfalfa y de la soja y algo de leche en polvo. Analice el contenido en vitaminas. Vea si se encuentran en las proporciones correctas y, asegúrese de que el alimento contiene niveles elevados de vitamina A y D, dos de las más importantes y perecederas. Compruebe el nivel del complejo B, pero no se preocupe por los niveles de carbohidratos y minerales. Estas sustancias son baratas y abundantes, y no es probable que falten en una buena marca.

El consejo dado para escoger un alimento seco también se aplica para los diferentes tipos de dietas húmedas o en lata, si es que se decide por una de ellas.

Una vez escogida una buena dieta, adminístrela a su Schnauzer Miniatura siguiendo las instrucciones del envase. Una vez haya empezado, continúe con ella. Si quiere ayudarle, nunca la cambie. Un cambio en el tipo de alimento puede realizarse sin muchas complicaciones, sin embargo, los cambios le darán casi siempre algún que otro problema (tanto a usted como a su perro).

¿CUÁNDO SE NECESITAN LOS SUPLEMENTOS?

Vamos a ver qué es lo que ocurre con los diferentes tipos de suplementos de vitaminas y minerales o de varios aceites. Todos pueden adicionarse a la comida de su Schnauzer Miniatura. No obstante, si usted le está suministrando una dieta correcta a su perro, y eso es fácil de conseguir, no son necesarios los suplementos. Sólo se administran si su Schnauzer Miniatura está siendo alimentado de forma incorrecta, o si está enfermo o tiene cachorros. Las vitaminas y minerales están presentes de forma natural en todos los alimentos, y para asegurar que no haya pérdidas durante el procesado, se adicionan en forma de concentrado a la comida de perro que utiliza. A no ser que lo aconseje su veterinario, la adición de varias cantidades de vitaminas puede ser perjudicial para su Schnauzer Miniatura. Se corre el mismo riesgo con los minerales.

LA PAUTA DE ALIMENTACIÓN

¿Cuándo y en qué cantidad debe administrar la comida a su Schnauzer Miniatura? En cuanto al cuándo, haga lo que más le convenga (excepto en el caso de los cachorros). Puede administrarle dos comidas al día o la misma cantidad en una sola toma, ya sea por la mañana o por la noche. En cuanto a cómo preparar la comida y qué cantidad se debe dar, es mejor seguir las instrucciones indicadas en el envase. Su Schnauzer Miniatura puede necesitar un poco más o un poco menos. También debe

Su Schnauzer Miniatura se beneficiará al mascar un Gumabone para aliviar sus instintos y limpiar sus dientes.

disponer siempre de agua fresca y limpia. Esto es importante para que goce de buena salud a lo largo de su vida.

TODOS LOS SCHNAUZER MINIATURA NECESITAN MASCAR

Tanto los cachorros como los jóvenes Schnauzer Miniatura necesitan algo resistente para mascar mientras se desarrollan sus dientes y mandíbulas. Esto contribuye a la aparición de los dientes de leche, induce el crecimiento de los dientes permanentes bajo los de leche, ayuda a que se caigan los dientes caducos en el momento adecuado, a que aparezcan los definitivos a través de las encías, al desarrollo normal de las mandíbulas y a fijar los dientes permanentes en ellas de una forma sólida. El Schnauzer Miniatura adulto necesita mascar, guiado por el instinto, ya que esto contribuye a la limpieza de los dientes, proporciona un masaje y ejercicio a las encías y es una válvula de escape para las tensiones periódicas del perro.

Ésta es la razón por la cual, especialmente cachorros y perros jóvenes, destruyen a menudo bienes valorados en miles de pesetas si no se

Los huesos de Nylabone/Gumabone permiten al perro morder sus extremos mientras limpian sus dientes. Los extremos desarrollan protuberancias elásticas que actúan como cepillo de dientes. Estos huesos son muy efectivos, tal y como han demostrado estudios científicos detallados.

Existen en el mercado huesos de nylon, como los Nylabone, aromatizados naturalmente y que cuidan la salud dental del perro. Cuando el Schnauzer lo masca, queda al descubierto la superficie blanca de debajo. Esta foto lo muestra antes y después de mascar.

desvía su instinto de morder las posesiones de su amo. Por eso debe proporcionarle a su Schnauzer Miniatura algo para mascar, algo que tenga las condiciones funcionales necesarias, que sea apetecible desde el punto de vista del animal y que sea seguro para él.

Es importante que no permita a su Schnauzer mascar algo que se pueda romper o algo indigerible que se rompa en pedazos grandes. Las piezas afiladas, como por ejemplo las de un hueso que pueda ser partido por el perro, podrían perforar la pa-

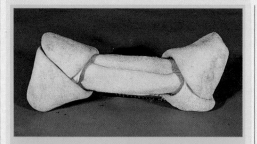

El cuero sin curtir es probablemente el producto más fácil de vender. Puede ser peligroso ya que el perro puede atragantarse al aumentar de tamaño el cuero cuando está húmedo. La opción más segura para su Schnauzer Miniatura es el cuero fundido y moldeado mezclado con caseína.

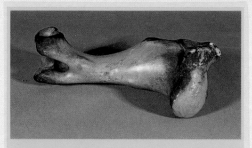

En las tiendas de animales venden huesos de verdad que han sido coloreados, cocidos y teñidos. Algunos de estos huesos son enormes, pero generalmente se rompen con facilidad y se vuelven peligrosos.

red intestinal y provocar la muerte. Las cosas indigeribles que se pueden romper en pedazos, como podrían ser zapatos, gomas o juguetes de plástico, pueden causar un paro intestinal (si no se regurgitan) y conducir a una muerte dolorosa a menos que se practique la cirugía de forma rápida.

Los huesos naturales fuertes, de 10 a 20 cm de largo, de caña redonda de vaca adulta, cualquiera de los que puede conseguir en la carnicería o los que puede encontrar en tiendas de animales, pueden ser útiles a las necesidades de su Schnau-

zer, si su boca es lo suficientemente grande como para que pueda sostenerlo sin problemas. Puede estar tentado de darle a su cachorro un hueso pequeño que de momento no pueda romper, pero los cachorros crecen rápidamente y el poder de sus mandíbulas se incrementa constantemente hasta la madurez. Esto significa que un Schnauzer Miniatura en crecimiento puede romper uno de los huesos pequeños en cualquier momento, tragarse los pedazos y morir de forma dolorosa antes de que se dé cuenta de lo que ha ocurrido.

Todos los huesos naturales son muy abrasivos. Si su Schnauzer Miniatura es un ávido mordedor, los huesos naturales provocarán la caida de los dientes de leche de forma prematura, por lo tanto, deben serle retirados a su perro una vez hayan cumplido su finalidad. El dolor y el desgaste excesivo de los dientes de muchos perros adultos puede deberse a mascar en exceso los huesos naturales.

Contrariamente a lo que se cree, los huesos del jarrete que puede roer su Schnauzer Miniatura proporcionan muy poco o ningún aporte de calcio o cualquier otro nutriente. Sin embargo, pueden causar transtornos en la digestión de muchos pe-

Los Gumabone con aroma de pollo tienen finas partículas de pollo en polvo incluidas en él para mantener el interés del Schnauzer Miniatura.

rros y provocar el vómito de la comida nutritiva que necesita.

Los productos de cuero sin curtir de varios tipos, formas, tamaños y precios se pueden encontrar en el mercado y se han hecho muy populares. No obstante, no son muy adecuados para las funciones primarias de mascar, se ensucian cuando se humedecen y muchos Schnauzer los muerden rápidamente, pero se consideraban seguros para los perros hasta hace poco. Ahora, el aumento en el número de causas de muerte por estrangulación ha resultado ser debido a pedazos de cuero sin curtir parcialmente digeridos y que obstruyen la garganta.

Más recientemente, algunos vete-

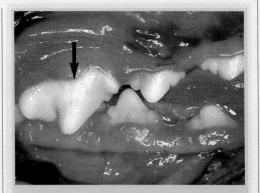

En este estudio científico se muestran los dientes de un perro mantenidos por un producto de Gumabone.

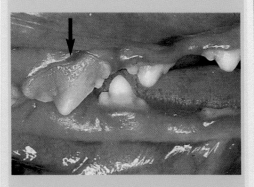

El Gumabone se retiró y en treinta días los dientes estaban cubiertos de placa y sarro casi completamente.

El juguete de nylon para estirar actúa como hilo dental. Usted coge un extremo y deja que su Schnauzer Miniatura tome el otro, de modo que las fibras se deslicen suavemente entre sus dientes ya que el nylon está lubricado. No use cuerdas de algodón, ya que el algodón es orgánico y degenera. Es también muy débil y pierde fibras con facilidad, que son indigestas si se tragan.

rinarios atribuyen casos de estreñimiento agudo a grandes pedazos de cuero sin curtir parcialmente digerido en el intestino.

Un nuevo producto, el cuero moldeado, ha resultado ser muy seguro. Durante el proceso, el cuero se funde y se inyecta en un molde con la forma que le es familiar al perro. Es muy resistente y muy aceptado por los Schnauzer Miniatura. El proceso por el cual se derrite el cuero también lo esteriliza. No confunda esto con el cuero prensado, que no son más que pequeñas tiras de cuero comprimidas entre sí.

Los huesos de nylon, especialmente los que llevan carne natural y fracciones de hueso adicionadas, son probablemente los más completos, seguros y económicos. Los perros no pueden romperlos ni hacerlos pedazos, por lo que son completamente seguros y, como duran más que otros productos destinados a este fin, resultan también económicos.

Existen unas pequeñas proyecciones en la superficie de los huesos de nylon que proporcionan una limpieza efectiva de los dientes y un vigoroso masaje de encías, del mismo modo que actúa el cepillo sobre nuestros dientes. Las pequeñas proyecciones pueden arrancarse y tragarse en forma de pequeñas virutas, pero la química del nylon le permite deshacerse al contactar con los fluidos estomacales y ser ingerido sin ningún problema.

La dureza del nylon proporciona una gran resistencia a los mordiscos y es necesario para un buen ejercicio de mandíbulas y ayuda a las funciones dentales, pero no provoca desgaste, ya que el nylon no es abrasivo. Como es inerte, el nylon no favorece el crecimiento de microorganismos y, puede lavarse con agua y jabón o ser esterilizado mediante ebullición o en un autoclave.

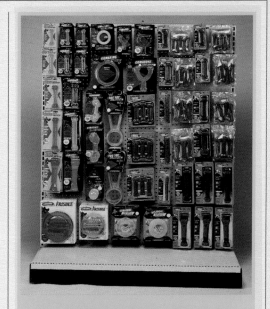

Muchas tiendas de animales tienen paneles enteros dedicados a productos para mascar.

El Nylabone es altamente recomendado por los veterinarios como un hueso seguro y saludable que no puede astillarse. El Nylabone se va rizando con la acción de mascar del animal, creando una superficie similar a un cepillo de dientes que limpia éstos y masajea las encías. El Nylabone es el único producto hecho de sólido nylon impregnado de aroma, y se puede encontrar en las tiendas de animales. El Nylabone es superior a los huesos más baratos porque está hecho de nylon virgen, que es el tipo de nylon más fuerte y duradero del mercado. Los huesos más baratos están hechos de nylon reciclado o reagrupado en pedazos y, tienen tendencia a romperse y descomponerse con facilidad.

Sin embargo, nada puede sustituir a un buen examen periódico de dientes y encías realizado por un profesional. Hágale una limpieza de boca en el veterinario al menos una vez al año (dos veces al año es mejor) y él se mantendrá feliz, saludable y mucho más a gusto.

Las tiendas de animales venden juguetes saludables y nutritivos para perros. Se puede adicionar queso, pollo u otros alimentos ricos en proteínas que se mezclan y se moldean constituyendo sólidos productos para poder morder. No gaste su dinero en productos pobres en proteínas. Si no tiene al menos el 50 % de contenido proteico, olvídelo.

Los productos de Nylabone son muy seguros para su Schnauzer Miniatura, ya sea cachorro o adulto. Asegúrese de proporcionar a su cachorro una gran variedad de productos de Nylabone para satisfacer sus necesidades.

ADIESTRAMIENTO

Debe dar a su Schnauzer Miniatura el adiestramiento apropiado. El derecho y el privilegio de ser adiestrado es un derecho de nacimiento y, tanto si su Schnauzer Miniatura va a ser un perro de compañía atractivo y bien educado, o un perro de exposición, como si va a tener cualquier otra dedicación, el adiestramiento básico es siempre el mismo. Todo debe empezar por la obediencia básica o lo que se llama «adiestramiento educativo». Su Schnauzer Miniatura debe acudir de forma instantánea cuando se le llama, debe obedecer a las órdenes de «sit» (siéntate) o «down» (tumbado) y debe andar tranquilo a nuestro lado a la orden de «heel» (tanto con la correa como sin ella). Debe mostrarse educado dondequiera que vaya, con los extraños en la calle o en los establecimientos. Debe ser educado ante la presencia de otros perros. No debe ladrar a los niños que van en patines, motos o a otros animales domésticos. Debe ser disuadido de perseguir a los gatos. No es un derecho inalienable de los perros el hecho de cazar gatos, y debe recibir una reprimenda por ello.

Se ha demostrado que los Schnauzer Miniatura son muy capaces de alcanzar grados en obediencia. Los concursos de obediencia son muy entretenidos tanto para los perros como para los propietarios.

ADIESTRAMIENTO PROFESIONAL

¿Cómo realizar este adiestramiento?. Bien, es un procedimiento muy sencillo y bastante bien estandarizado por ahora.

En primer lugar, si puede permitirse el gasto extra, puede enviar a su Schnauzer Miniatura a un adiestrador profesional, donde entre los 30 y 60 días aprenderá cómo ser un «buen perro». Si contrata los servicios de un buen adiestrador profesional, siga su consejo sobre cuándo podrá visitar a su perro. No, él no le olvidará, pero las visitas muy frecuentes cuando no debe podrían retrasar sus progresos en el adiestramiento. Al usar a un adiestrador profesional, usted también deberá acudir para recibir clases, una vez el adiestrador crea que su perro está listo para ir a casa. Debe aprender cómo trabaja su perro, lo que puede esperar de él y cómo usar lo que el perro ha aprendido una vez llegue a casa.

CLASE DE ADIESTRAMIENTO PARA LA OBEDIENCIA

Otra forma de adiestrar a su Schnauzer Miniatura (y mucha gente experimentada piensa que este modo es el mejor) es unirse a una clase de adiestramiento para la obediencia que se realice en su vecindario. Actualmente existen grupos en casi cada comunidad. En estas clases trabajará con más gente que también está empezando. Usted adiestrará a su propio perro, pero el trabajo se realizará bajo las indicaciones de un adiestrador que le dará sugerencias y le explicará cuándo y cómo corregir los errores de su Schnauzer Miniatura. Además, trabajando en grupo, su perro aprenderá a llevarse bien con los otros perros. Y lo que es más importante, el perro aprenderá a realizar lo que se le pida sin importarle la confusión que haya a su alrededor o

Todos los perros deben ser adiestrados para obedecer las normas del hogar. Si su animal no debe subir al sofá, no se lo permita ni una sola vez. Las reglas que se pueden romper son raramente obedecidas.

a pesar de la tentación que supone irse por su lado.

Escriba a su club nacional de la raza para conocer la localización de las clases de adiestramiento para la obediencia que se realizan en su área. Apúntese, acuda regularmente, a cada sesión. Llegue pronto y váyase tarde. Tanto usted como su Schnauzer Miniatura se beneficiarán enormemente de ello.

ADIESTRAMIENTO CON UN LIBRO

El tercer modo para adiestrar a su Schnauzer Miniatura es mediante un libro. Puede utilizar este método y hacer también un buen trabajo. Al usar el método del libro debe primero seleccionarlo, adquirirlo y estudiarlo cuidadosamente, luego estúdielo más profundamente hasta que los procedimientos sean casi naturales para usted. Entonces, empiece su adiestramiento. Pero, continúe siguiendo los consejos y ejercicios del libro. No empiece y luego invente unas cuantas reglas de su cosecha. Si no sigue el libro, puede meterse en un apuro del que no podrá salir usted solo. Si después de unas horas de cortas sesiones de adiestramiento su Schnauzer Miniatura no responde como debería, vuelva a revisar el libro para una sesión de estudio, porque es culpa suya, no del perro. Los procedimientos para el adiestra-

miento de perros han sido tan bien sistematizados que el error deberá ser suyo, ya que miles de Schnauzer Miniatura han sido adiestrados mediante el libro.

Una vez su Schnauzer Miniatura sea literalmente perfecto bajo todas las condiciones, entonces, si lo desea, puede empezar con el adiestramiento avanzado.

A su Schnauzer Miniatura le gustará el adiestramiento para la obediencia y usted se sentirá muy orgulloso de su producto acabado. Su perro disfrutará más de la vida y usted disfrutará más de él. Recuerde: *debe proporcionar a su Schnauzer Miniatura un buen adiestramiento.*

Hay algunas órdenes que deben conocer los Schnauzer de buena conducta. Este perro está aprendiendo la orden de «down/stay».

EXHIBIENDO A SU SCHNAUZER MINIATURA

Un Schnauzer Miniatura de exposición es una cosa relativamente rara. Suele haber uno entre varias camadas de cachorros. El ejemplar debe haber nacido con un grado de perfección física que se aproxime mucho al estándar por el cual se juzga a la raza en la pista de concurso. Este tipo de perro debe ser capaz, en su madurez, de ganar o hacer un buen papel en un campeonato importante. Al finalizar el campeonato, será un animal muy solicitado para la reproducción. Una vez probada su capacidad para ello, cobrará automáticamente un alto precio por servicio.

Los shows de Schnauzer Miniatura son muy divertidos, pero se trata de un deporte muy competitivo. Aunque todos los expertos fueron en su día principiantes, las estadísticas están en contra de los novatos. Deberá competir contra expertos presentadores de animales, que a menudo son gente que ha dedicado toda su vida a la cría, la selección y la exposición de sus campeones. Además, incluso el Schnauzer Miniatura más perfecto que haya nacido también tiene faltas, y en sus manos las faltas se harán mucho más evidentes que en las de un presentador que sepa como minimizar los de-

Un Schnauzer Miniatura con una línea sanguínea de campeones y que, por supuesto, se acerque mucho al estándar de la raza, tiene una muy buena oportunidad de convertirse en campeón.

fectos de su Schnauzer Miniatura. Pero esto son sólo algunos aspectos negativos. El experto profesional no nació enseñado, tuvo que aprender, al igual que usted puede hacerlo. Usted puede ser más estudioso y observador de lo que él fue. Pero esto llevará tiempo.

LAS CLAVES PARA EL ÉXITO

Primera, vea si las expectativas de participar en los shows son verdaderas. Lleve al cachorro a casa, fórmelo con el libro y, tan cuidadosamente como sepa, dele la oportunidad de convertirse en el perro maduro que usted espera. Mi consejo es mantener al perro alejado de los grandes shows, incluso de las clases para cachorros, hasta que madure. La madurez en el perro se adquiere hacia los dos años, y en la perra a los catorce meses. Cuando su Schnauzer Miniatura se acerque a la madurez,

El pelaje debe mantenerse en las mejores condiciones durante todo el tiempo.

Sea paciente en su lucha por realizar un buen show. Se necesita mucho trabajo duro y dedicación por parte de ambos.

empiece por los shows más pequeños y luego vaya progresando hasta llegar a los más grandes. El siguiente paso es leer el estándar por el cual se juzga al Schnauzer Miniatura. Estúdielo hasta que se lo sepa de memoria. Una vez hecho esto, y mientras su cachorro está creciendo en casa de forma saludable (que es donde debe estar), acuda a todos los shows que pueda como espectador. Siéntese al borde de la pista y observe cómo se juzga a los Schnauzer Miniatura. Mantenga sus ojos y oídos bien abiertos. Sea su propio juez y compare a todos los perros con el estándar que ya conoce de memoria.

En sus evaluaciones, no empiece buscando las faltas. Busque las virtudes, las mejores cualidades. ¿Cómo se compara la forma de un Schnauzer Miniatura con el estándar? Una vez halladas las virtudes, busque los defectos y vea qué es lo

Antes de participar en un show, es una buena idea asistir a tantos shows como sea posible y tratar de evaluar a los perros nosotros mismos. Compare su criterio con el del juez y después hable con él y averigüe por qué escogió a determinados Schnauzer Miniatura y no a otros.

que le impide a un determinado Schnauzer Miniatura el moverse o posar correctamente. Sopese estas faltas y las virtudes ya que, de forma ideal, cada característica del perro debe contribuir a la armonía de todo el conjunto.

JUZGANDO AL BORDE DE LA PISTA

Es una buena idea el tomar notas de cada Schnauzer Miniatura, siempre comparando al perro con el estándar. Cuando esté juzgando, olvídese de sus preferencias personales por una u otra raza. ¿Qué es lo que el estándar dice sobre ella? Observe atentamente cómo el juez sitúa a los perros en clases determinadas. Desde fuera de la pista es siempre difícil ver por qué el número uno se ha situado por encima del número dos. Intente seguir el razonamiento del juez. Luego intente hablar con él una vez haya terminado. Hágale preguntas, como por ejemplo por qué situó

a un determinado Schnauzer Miniatura por encima de los otros. Escuche mientras él le explica sus decisiones, y debo decir que cualquier juez merecedor de su licencia debe ser capaz de dar explicaciones.

Cuando no esté observando fuera de la pista, hable con aficionados o criadores que tengan Schnauzer Miniatura. No tenga miedo de preguntar lo que usted no sabe. Tiene mucho que escuchar y, si es un buen oyente, esto le puede ayudar mucho y agilizar su progreso personal.

EL CLUB NACIONAL

Va a encontrar muy útil el unirse al club nacional del Schnauzer Miniatura y suscribirse a sus publicaciones. Desde el club nacional conocerá la localización de los clubs regionales aprobados que estén cerca de su casa. Luego, cuando su Schnauzer Miniatura tenga de ocho a diez meses de vida, busque las fechas en las que se celebran shows locales en la sección de su región. Estos shows se diferencian de los normales en que no se otorgan puntos de campeonato. Están especialmente pensados para lanzar a los perros jóvenes (y a los nuevos presentadores) al mundo de las exposiciones caninas.

ENTRAR EN LOS SHOWS LOCALES

Habiendo aprendido la conducta en la pista de los shows más grandes, apunte a su Schnauzer a tantos shows locales como pueda. Una vez en la pista, habrá de preocuparse de dos cosas. Una, es ver que su Schnauzer Miniatura es siempre observado desde un punto de vista ventajoso. La otra es vigilar al juez

para saber lo que debemos realizar a continuación. Mire sólo al juez y a su perro. Sea rápido y esté alerta. Haga exactamente lo que le indique el juez. No hable con él, excepto para responder a sus preguntas. Si realiza algo que no le gusta, no lo diga. No ponga nervioso al juez (ni a nadie más) hablando continuamente con su perro.

Cuando esté en la pista, recuerde evitar todo contacto con los perros situados frente a usted o a su lado. Yo aconsejaría no llevar a su Schnauzer Miniatura a un show de puntuación hasta que esté cerca de la madurez y hasta que, tanto él como usted, hayan perfeccionado su comportamiento y su equilibrio en la pista en un show de menor categoría.

Los Schnauzer Miniatura demuestran ser muy adiestrables y atléticos, como puede verse en esta foto de un Schnauzer Miniatura saltando un muro de ladrillos en una prueba de agility.

LA SALUD DE SU SCHNAUZER MINIATURA

Conocemos a nuestros animales, su humor y sus hábitos, y por eso podemos reconocer cuándo nuestro Schnauzer Miniatura tiene un mal día. Los signos de enfermedad pueden ser muy obvios o muy sutiles. Como cualquier madre puede atestiguar, el diagnosticar y tratar una dolencia requiere sentido común para distinguir cuándo aplicar remedios caseros y cuándo acudir al doctor, o al veterinario en este caso.

Su veterinario es el mejor amigo de su perro, después de usted. Vale la pena ser exigente a la hora de escoger a su veterinario. Hable con propietarios de animales a los que respete. Visite a más de un veterinario antes de tomar una decisión de por vida. Siga sus instintos. Busque a un veterinario compasivo y con conocimientos, que conozca bien a los Schnauzer Miniatura y le gusten.

Es conveniente el cuidado del pelaje del perro para mantener una buena salud. El Schnauzer Miniatura tiene un espeso subpelo y un áspero pelaje externo que requiere cuidados específicos. El pelaje debe ser retocado cada dos o tres meses, particularmente en el perro de exposición. El cepillado regular estimula los aceites naturales del pelaje y elimina el pelo muerto. El pelaje del Schnauzer Miniatura muda en cada estación, lo que significa que el subpelo (el más profundo, suave y blanco) caerá al ser empujado por el nuevo pelo que crece. Un cepillo de resistencia media ayudará a eliminar el pelo muerto de la capa más profunda.

SACOS ANALES

Los sacos anales, a veces llama-

Su Schnauzer Miniatura será un amigo y un compañero para usted por muchos años. Debe proporcionarle a su animal los mejores cuidados y la adecuada asistencia veterinaria si cayera enfermo.

dos también glándulas anales, están situados en la musculatura que rodea al ano, uno a cada lado. Los dos desembocan en el recto por medio de un pequeño conducto. Ocasionalmente, su secreción se hace más espesa y se acumula, de modo que se pueden notar estas estructuras desde el exterior. Si su perro arrastra su trasero por el suelo o se lame en esa zona, probablemente sus sacos anales necesiten ser vaciados. El procedimiento general consiste en apretar a ambos lados del ano mientras levantamos la cola. La secreción de los sacos anales tiene un característico mal olor y podría salpicarle si no va con cuidado. Los veterinarios pueden ocuparse de esto durante las visitas regulares y mostrarle el método de limpieza.

PRINCIPALES PROBLEMAS DE SALUD

Muchos Schnauzers Miniatura están predispuestos a ciertas anormalidades congénitas y hereditarias que afectan a la piel, al tracto urinario, a los riñones y a los ojos. La raza puede sufrir un trastorno de la queratinización conocido como el «síndrome

Al igual que una madre está alerta cuándo su hijo se pone enfermo, un propietario debe ser capaz de detectar cuándo su animal no se siente bien. Un cambio en su apetito, conducta y/o la expresión facial, son generalmente los primeros signos de que un perro no se encuentra bien.

del comedón» del Schnauzer, que se caracteriza por escamas en la piel y espinillas crónicas. Este tipo de seborrea es debido probablemente a un hipotiroidismo o a una alergia, aunque los veterinarios siempre prescriben champúes de tratamiento para ayudar a controlar el proceso.

Las «piedras» en el riñón y en el tracto urinario (llamadas cálculos o urolitos) se dan en Schnauzer que más comúnmente contienen hexahidrato fosfato de magnesio-amonio (o MAP). Los veterinarios aconsejan no dar suplementos de vitamina C en el Schnauzer Miniatura por esta razón.

Los ojos del Schnauzer Miniatura se han convertido en la preocupación de los criadores actuales, ya que se han registrado casos de cataratas juveniles, degeneración de retina, querato-conjuntivitis seca y atrofia progresiva de retina. Por lo tanto, proteger de los problemas oculares ha sido algo prioritario. La displasia de retina, como la PRA, es un defecto hereditario que puede reducir drásticamente la visión del perro. La catarata juvenil es en la actualidad el problema ocular más serio del Schnauzer Miniatura. Los primeros cinco días son críticos y si no se trata puede conducir a la ceguera total. Puede ser corregido por un especialista y el tiempo es de máxima importancia. Debido a que la catarata juvenil es un defecto hereditario, los criadores son muy cuidadosos a la hora de detectarlo. Puede aparecer en una camada que esté separada por varias generaciones del ancestro afectado, de modo que el examen debe ser minucioso. La enfermedad de Von Willebrand, un trastorno sanguíneo, es un problema que afecta a bastantes razas de perros, y el Schnauzer Miniatura no queda excluido. La raza también puede sufrir la enfermedad de Legg-Perthes, que afecta a la articulación de la cadera (generalmente también afecta a una extremidad). La enfermedad de Legg-

Su Schnauzer Miniatura disfrutará de toda la comodidad del hogar cuando no se sienta bien.

Perthes afecta principalmente a las razas pequeñas de perros, como la displasia de cadera afecta a las grandes.

El hipotiroidismo (una disfunción de la glándula tiroides) puede relacionarse con muchos síntomas en el Schnauzer Miniatura, como trastornos de la queratinización, obesidad, letargo y alteraciones reproductivas. La suplementación del tiroides disminuye los problemas, aunque los perros afectados no deberían criar. A pesar de esta larga lista de problemas potenciales, un Schnauzer Miniatura bien criado es un animal de compañía saludable y con una larga vida. El cuidado y la educación adecuados ayudarán a los propietarios a fomentar la salud y la longevidad de sus perros.

VACUNAS

Para mantener la salud de sus perros, los propietarios deben vacunarlos regularmente. Su veterinario puede recomendarle una pauta de vacunación apropiada para su perro, considerando factores como el clima y la geografía. Las vacunas básicas para proteger a su perro son: parvovirosis, moquillo, hepatitis, leptospirosis, adenovirus, parainfluenza, coronavirus, bordetella, traqueobronquitis (la tos de las perreras), enfermedad de Lyme y rabia.

La parvovirosis es una enfermedad muy contagiosa específica de los perros que se reconoció por primera vez en 1978. Afecta al intestino delgado y al estómago, provocando diarrea y vómitos con sangre. Aunque el perro puede transmitir la infección a otros perros a los tres días de la infección, los síntomas iniciales (que incluyen letargo y depresión) no aparecen hasta los cuatro a siete días. Si afecta a cachorros de menos de cuatro semanas de vida, el músculo cardíaco es frecuentemente atacado. Cuando afecta al corazón, los cachorros presentan dificultad al respirar y secretan espuma por la nariz y por la boca.

El moquillo, relacionado con el sarampión humano, es un virus que transporta el aire y se propaga por la sangre hasta afectar al sistema nervioso y a los tejidos epiteliales. Los perros jóvenes o con un sistema inmunitario débil pueden desarrollar encefalomielitis (una enfermedad cerebral) a consecuencia de la infección del moquillo. Estos perros experimentan ataques, debilidad general y rigidez. Como el moquillo es casi incurable, la prevención a través de la vacunación es de vital importancia. Los cachorros deben vacunarse de las seis a las ocho semanas de vida, revacunándose de las diez a las doce semanas. Los cachorros más mayores (de dieciséis semanas o más) que no están vacunados, deben recibir no menos de dos vacunaciones en intervalos de tres a cuatro semanas.

La hepatitis afecta principalmente al hígado, y es causada por el adenovirus canino tipo I. La hepatitis es altamente contagiosa y afecta a menudo a perros de nueve a doce meses de vida. Inicialmente, el virus se localiza en las tonsilas del perro y luego se disemina hacia el hígado, riñones y ojos. Normalmente el sistema inmunitario del perro es capaz de combatir a este virus. La hepatitis infecciosa canina afecta a los perros cuyo sistema inmunitario no puede combatir al adenovirus. Los perros afectados tienen fiebre, dolor abdominal, lesiones en las membranas mucosas y en las encías y pueden llegar a sufrir coma y convulsiones. La prevención de la hepatitis consiste exclusivamente en la vacunación de las ocho a las diez semanas de vi-

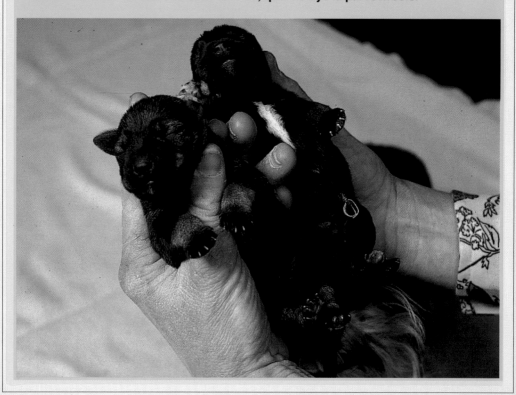

Los cachorros no deben ser manipulados hasta que reciban su primera tanda de vacunaciones a las seis semanas de vida, que incluye la parvovirosis.

da y luego revacunar tres o cuatro semanas después, para continuar una vez al año.

La leptospirosis es una enfermedad bacteriana, a menudo contagiada por roedores. El microorganismo entra a través de las membranas mucosas y se extiende a los órganos internos vía torrente sanguíneo. Puede transmitirse a través de la orina del perro. La leptospirosis no afecta a perros jóvenes de la forma en que lo hacen otros virus. Presenta una distribución regional y depende en parte del estado inmunitario del perro. En los casos moderados aparece fiebre, inapetencia, vómitos, deshidratación, hemorragia y problemas renales y oculares.

La bordetella, conocida como tos canina, causa una tos seca persistente y es muy contagiosa. Implica a un virus y a una bacteria: el virus más comúnmente implicado es el de la parainfluenza, y la bacteria es *Bordetella bronchiseptica.* Presentan bronquitis y neumonía menos del 20

Es una buena idea que su Schnauzer lleve la chapa de identificación antirrábica en su collar por si se escapara de casa, y evitar así que fuera tratado injustamente.

La salud de su Schnauzer Miniatura debe mantenerse desde su infancia hasta la vejez.

% de los casos, y muchos perros se recuperan entre una a cuatro semanas. Ningún medicamento puede ayudar a combatir la tos seca y nada puede detener el proceso una vez ha comenzado. La vacunación no garantiza la protección frente a la tos de las perreras, pero protege contra los virus más comunes responsables del proceso.

La enfermedad de Lyme (también llamada borreliosis) se diagnosticó por primera vez en los perros en 1984, aunque ya existía desde hace décadas. La enfermedad de Lyme puede afectar a gatos, al ganado, a los caballos y especialmente al hombre.

En los EE.UU. la enfermedad es transmitida por dos garrapatas que transportan el microorganismo responsable: *Borrelia burgdorferi*. Las garrapatas son: la del ciervo *(Ixodes scapularis)* y la garrapata de patas negras del oeste *(Ixodes pacificus)*, que afecta primariamente a reptiles. En Europa, la responsable de vehicular la enfermedad de Lyme es *Ixodes ricinus*. La enfermedad causa cojera, fiebre, inflamación de las articulaciones, inapetencia y letargo. La extracción de las garrapatas del pelaje del perro puede ayudar a reducir las posibilidades de sufrir la enfermedad de Lyme, aunque no tanto como evitar las áreas del bosque muy espesas donde el perro puede ser atacado más fácilmente por las garrapatas. Hay una vacuna disponible, aunque no ha sido probada su eficacia para proteger contra todas las cepas del organismo que causa la enfermedad.

La rabia se transmite a los perros y al hombre a través de la fauna silvestre. En América del Norte, principalmente a través de la mofeta, del zorro y del mapache. El murciélago no es el responsable, como se pensaba en un principio. Del mismo modo, la típica imagen del perro rabioso sacando espuma por la boca y con el pelo erizado tampoco se corresponde con la realidad. Un perro rabioso presenta dificultad al ingerir, excesiva salivación, ataques de parálisis y carácter molesto. Antes de que el perro llegue a la etapa final, puede experimentar ansiedad, cambios de personalidad, irritabilidad y más agresividad de la habitual. La vacunación es muy recomendada, ya que los perros rabiosos son demasiado peligrosos para ser tratados y son normalmente eutanasiados. Los cachorros se vacunan generalmente a las doce semanas de vida, y luego anualmente. Aunque la rabia está disminuyendo a nivel mundial, son muchas las per-

Hay muchas plantas que son venenosas para los perros. Vigile a su Schnauzer Miniatura cuando esté fuera de la casa y no permita que mordisquee las hojas o las bayas.

Las pulgas crecen en áreas cálidas y con hierba, y pueden ser una plaga si no se detectan inmediatamente. La pérdida de pelo y el mordisqueo de la piel son las principales características de la infestación por pulgas.

sonas que mueren cada año debido a incidentes relacionados con ella.

LA LUCHA CONTRA LOS PARÁSITOS

Los parásitos van unidos a nuestros animales domésticos desde hace siglos. A pesar de los esfuerzos más modernos, las pulgas siguen acosando a nuestros perros e incluso a nosotros mismos. Todos los perros tienen prurito, y las pulgas pueden echar a perder al más feliz de los perros. Entre las molestias figuran la pérdida de pelo y el morderse continuamente. Lo grave es el contagio de tenias y que toda la familia se rasca en verano. En tiendas de animales se puede encontrar una amplia gama de productos para el control y la eliminación de pulgas, y su veterinario seguro que le dará recomendaciones. Pulverizadores, polvos, collares y baños combaten las pulgas desde el exterior. Pastillas y píldoras los combaten desde el interior. Comente las posibilidades con su veterinario. No todos los productos pueden utilizarse conjuntamente con otros, y algunos perros pueden ser más sensibles a ciertas aplicaciones que otros. Una infestación muy fuerte requiere un tratamiento múltiple.

Revise cuidadosamente a su perro en busca de garrapatas. Aunque las pulgas pueden adquirirse casi en cualquier parte, las garrapatas se adquieren con más probabilidad en bosques espesos, pastos u otros exteriores (como en los shows, pruebas de obediencia o de campo). Los que sufren más riesgos son los perros atléticos, activos y cazadores, aunque cualquier perro que se pasee puede ser el huésped. Recuerde que la enfermedad de Lyme es transmitida por una infestación de garrapatas.

Por lo que respecta a los parásitos internos, los gusanos son potencialmente peligrosos para los perros y para la gente. Anquilostomas, ascárides, vermes látigo, tenias y gusanos del corazón comprenden el principal grupo de productores de problemas. La desparasitación de los cachorros empieza sobre las dos a tres semanas y continúa hasta los tres meses de edad. El cuidado higiénico del entorno es también muy importante para prevenir la contaminación por huevos de ascárides y anquilostomas. La prevención contra el gusano del corazón es recomendada por muchos veterinarios, aunque hay algunos inconvenientes en la introducción regular de los venenos en el organismo de nuestros perros. Estos preparados diarios o mensuales también ayudan a regular muchos otros parásitos. Discuta los distintos procedimientos con su veterinario.

Los ascárides son un gran problema para los perros y las personas. Se encuentran en el intestino de los perros y pueden pasar al hombre mediante la ingestión de productos contaminados con heces. La infección por ascáridos puede evitarse no paseando a los perros por zonas de mucho tráfico de gente, quemando las heces y reprimiendo a los perros de forma responsable (en muchas zonas del país sujetar a los perros está regulado por ley). Los ascárides se transmiten de la madre a su camada, y la perra debe tratarse junto con los cachorros, incluso si las pruebas salían negativas antes de parir. Los cachorros son tratados generalmente cada dos semanas, hasta los dos meses de vida.

Los anquilostomas, como los ascárides, también son peligrosos para los perros y para el hombre. El parásito, conocido como *Ancylostoma caninum,* causa una *larva migrans* cutánea en el hombre. Los huevos de anquilostoma se transmiten por las heces y se hacen infecciosos en zonas arenosas y sombreadas. La larva penetra por la piel del perro y éste se infecta. Al lamerse, el parásito pasa al intestino, pulmones, tráquea y a todo el sistema digestivo. Los perros infectados padecen anemia y pierden gran cantidad de sangre en los lugares donde se ancla el parásito a nivel del intestino.

Aunque es poco frecuente que afecte al hombre, el vermes látigo es conocido como uno de los parásitos más comunes en América. Estos largos parásitos afectan al intestino del perro, donde se anclan y producen cólicos y diarrea. Estos vermes son difíciles de diagnosticar a menos que se identifiquen en las heces filtradas. Los gusanos adultos pueden ser más fácilmente elimi-

Antes de la primera tanda de vacunaciones del cachorro, los únicos anticuerpos que tiene son los que le vienen de la madre.

Asegúrese de que su Schnauzer Miniatura tenga siempre gran cantidad de agua limpia y fresca disponible. Hay botellas de agua que se sujetan a los lados de las jaulas y proporcionan el agua necesaria cuando su perro está encerrado.

nados que las larvas, ya que los vermes látigo tienen ciclos vitales inusuales. El cuidado higiénico apropiado de las superficies exteriores es crítico para la eliminación de estos perjudiciales parásitos.

Las tenias son vehiculadas por pulgas y entran en el perro cuando éste ingiere la pulga al lamerse. Los humanos pueden adquirir la tenia del mismo modo, aunque es menos probable que traguemos las pulgas mediante lamidos.

Estudios recientes demuestran que algunos roedores y otros animales silvestres han sido infectados por tenias, y los perros pueden afectarse al cazar y/o ingerir estos animales. Por supuesto, es más probable que se infecten de este modo los perros cazadores y los terriers que los perros caseros. El tratamiento para las tenias ha resultado ser muy eficaz, y los perros infectados no muestran grandes molestias o síntomas. No obstante, si se infecta el hombre, el hígado puede afectarse seriamente. Una limpieza adecuada es la mejor postura frente a las tenias.

La enfermedad del gusano del corazón se transmite por mosquitos y afecta seriamente a los pulmones, corazón y vasos sanguíneos de los perros. La larva de *Dirofilaria immitis* entra en el torrente sanguíneo del perro cuando éste es picado por un mosquito infectado. La larva tarda seis meses en madurar. Los perros infectados sufren pérdida de peso y de apetito, tos crónica y fatiga general. No todos los perros infectados muestran signos de enfermedad rápidamente, y los perros portadores pueden estar afectados durante años antes de que aparezcan los signos clínicos. El tratamiento de la enfermedad del gusano del corazón es efectivo, pero también puede ser peligroso. La prevención, como siempre, es la mejor alternativa. La ivermectina es el ingrediente activo más usado como preventivo y ha resultado tener éxito. Consulte con su veterinario qué es lo mejor para su perro. Los preventivos empiezan a tomarse generalmente a los ocho meses de vida y se continúan tomando durante los meses no invernales.

El hecho de que esté en bosques y descampados durante mucho tiempo puede ser «peligroso» para su Schnauzer Miniatura. Puede ser atacado por garrapatas y pulgas, así que revíselo bien tan pronto como entre en casa.